NOUVEAU PiXEL

Méthode de français

Cahier d'activités

Catherine Favret
Sylvie Schmitt

CLE
INTERNATIONAL
www.cle-inter.com

Crédits photos

Direction éditoriale : Béatrice Rego
Édition : Sylvie Hano, Chloé Larus
Conception graphique : Emma Navaro
Mise en page : Nicole Sicre
Illustrations : Conrado Giusti / Adriana Canizo / Olivier Le Discot
Recherche iconographique : Nathalie Lasserre
Enregistrements : Vincent Bund Quali'sons
© CLE International / SEJER, 2016
ISBN : 978-209-038925-8

TABLE DES MATIÈRES

Destination français !

1 Quels mots tu connais ? Associe les mots aux photos.

1.

2.

3.

4.

5.

6.

7.

8.

9.

a. camembert

b. métro

c. bus

d. taxi

e. chocolat

f. steak

g. rock

h. crêpes

i. collège

2 **Écoute et lis les prénoms des élèves du Collège international Colbert.**
Quels prénoms sont français ?

a. Françoise ☐   **e.** Petra ☐   **i.** Milagro ☐
b. Zahia ☐   **f.** Pierre ☐   **j.** Hans ☐
c. Medhi ☐   **g.** Betty ☐   **k.** Noriko ☐
d. Igor ☐   **h.** Sylvie ☐   **l.** Jean ☐

 3 **Écoute les phrases. Une est en français.**
Coche la bonne réponse.

a.	b.	c.	d.	e.	f.	g.

  4 **Écoute et chante.**

Un R ou deux R ?
Un R dans mer.
Deux R dans terre.
Un R dans rond.
Deux R dans carré.
Un R dans écrire.
Deux R dans corriger.

 5 **Écoute et répète.**

a. pull → [y]
b. poule → [u]
c. bulle → [y]
d. boule → [u]

 6 **Écoute et coche. [y] ou [u] ?**

	a.	b.	c.	d.	e.	f.	g.	h.	i.	j.
[y]										
[u]	X									

 7 **Le son [wa]. Écoute et répète.**

a. roi
b. moi
c. toi
d. soi

 8 **Écoute et coche. [u] ou [wa] ?**

	a.	b.	c.	d.	e.	f.	g.	h.	i.	j.
[u]										
[wa]	X									

9 **Relie pour faire des phrases.**

Je •   • s' •
Tu •   • t' •   • appelle •   • Anissa.
Elle •   • m' •   • appelles •   • Albert.

10 Complète les phrases.

Je .... James,
..... habite à ....

Elle .... Lucie,
elle .... à ....

Il .... Mario,
..... habite à ....

11 Lis et chante l'alphabet.

12 Écoute et écris les lettres.

1.	2.	3.	4.	5.	6.	7.	8.	9.	10.
11.	12.	13.	14.	15.	16.	17.	18.	19.	20.

13 On dit *salut* ou *bonjour* ? Choisis.

a.

b.

14 **Coche les bonnes réponses.**

Je dis à...	salut	bonjour	au revoir	à bientôt
...un(e) camarade				
...madame / monsieur				
...un(e) camarade / madame / monsieur				

15 **Complète le dialogue.**

a.
.................., ça va ?

.... !

b.
....
madame Sergent !

....
Valentin !

....
madame Sergent !

....
Valentin !

c.

Leçon 1 La rentrée

 1 **Écoute et réponds aux questions.** ★

a. Dialogue 1

1. Pauline pose des questions sur...
   ❑ un garçon.   ❑ une fille.

2. Retrouve le portrait qui correspond.

a.

b.

c.

b. Dialogue 2

1. Kevin et Théo parlent...
   ❑ d'une fille.   ❑ d'un garçon.

2. Ils trouvent qu'elle est...
   ❑ jolie.   ❑ sympa.

 c. Réécoute et vérifie.

2 **Écoute et réponds aux questions.** ★★

a. Dialogue 1, coche la bonne réponse.

1. Pauline et Sarah parlent...
   ❑ d'un élève.
   ❑ d'un surveillant.
   ❑ d'un professeur.

2. Il s'appelle...
   ❑ Kevin.   ❑ Gavin.   ❑ Corinne.

3. Il est...
   ❑ grand.   ❑ gros.   ❑ petit.

4. Il est...
   ❑ blond.   ❑ brun.

b. Dialogue 2, complète.

Kevin et Théo parlent d'une ....
.... Elle est en .... A.
Elle est .... Elle s'appelle ....
....

c. Dialogue 3, coche et complète.

1. Pauline et Théo parlent...
   ❑ d'une élève.
   ❑ d'une surveillante.
   ❑ d'un professeur.

2. Théo dit : elle est ....
   et ....

● ● ●

3 **Associe les phrases aux dessins.** ★

a. Il est brun, il est en 5e. C'est un élève, il a 12 ans.

b. Elle est blonde, elle a 52 ans. C'est la directrice.

c. Il est blond, il a 32 ans. C'est un professeur.

1. **2.** **3.**

4 Complète les phrases avec le nom, l'âge, la couleur des cheveux et la fonction des 3 personnages. ★★

a. Il s'appelle
....
Il a 14 ....
.... est brun.
C'est un ....
....

b. Elle s'appelle
....
Elle a ....
Elle est ....
C'est une ....

c. ....
Mme Vurzel. C'est
un ....
Elle a des ....
....
Elle .... 41 ans.

5 Classe les mots dans la bonne colonne. ★

*surveillante – directrice – directeur – classe – cour –
surveillant – brun – brune – le – la – un – une – il – elle*

masculin	féminin
le	la

6 Écris les phrases au féminin. ★★

a. C'est un surveillant. Il est brun, il a 21 ans et il est jeune.
....
....

b. C'est le directeur. Il est grand et gros, il a 42 ans.
....
....

c. C'est un élève de 5ᵉ A. Il est beau et sympa.
....
....

7 Écoute et associe les situations aux dessins. ★

a.
- Situation 1
- Situation 2
- Situation 3

c.

b.

 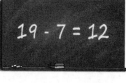

8 Écoute la commande et écris. ★★

..... frites
..... cocas
..... fantas
..... hamburgers
..... salades

9 Associe les mots aux chiffres. ★

a. huit
b. neuf
c. dix-sept
d. cinq
e. douze
f. treize
g. sept

1. 7
2. 8
3. 13
4. 17
5. 5
6. 9
7. 12

Leçon **2** En classe

1 **Regarde le dessin et complète.** ★

Dans le bureau des frères Tang, il y a...

3 c............................

10 l............................

4 s............................

7 c............................

1 r............................

C'est comme dans la classe !

2 Recopie les mots dans les sacs à dos correspondants. ★

sac à dos – surveillante –
directrice – absentes –
présents – crayon –
stylos – poster

féminin pluriel

féminin singulier

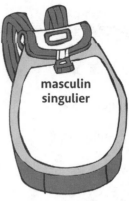
masculin singulier

masculin pluriel

---

3 Transforme au pluriel.
N'oublie pas les articles ! ★★

a. un élève → des ....

b. le professeur de maths → les ....

....

c. une surveillante → ....

d. un sac à dos → ....

e. la classe → ....

---

4 Écoute et coche la bonne réponse. ★

a. Mme Vurzel pose des questions sur...
❑ M. Berzot. ❑ David Bensimon.

b. Mme Vurzel pense que...
❑ David Bensimon est souvent en retard.
❑ Aurélie Bonnet est souvent en retard.

c. M. Berzot trouve que...
❑ Aurélie Bonnet est une bonne élève. ☺
❑ Aurélie Bonnet est une mauvaise élève. ☹

---

5 Écoute et complète. ★★

M. Berzot dit que David Bensimon ....
un bon .... Il n'est jamais en
....
Mme Vurzel dit qu'Aurélie Bonnet est ....
.... en retard.

---

6 Écoute. Coche les nombres que tu entends. ★

1	2	3	4	5	6	7
8	9	10	11	12	13	14
15	16	17	18	19	20	21
22	23	24	25	26	27	28
29	30	31	32	33	34	35
36	37	38	39	40	41	42
43	44	45	46	47	48	49

Vérifie ! C'est bien ? Maintenant tu peux jouer au loto
avec tes camarades !

---

7 Complète les consignes de classe.
Écoute et vérifie. ★

a. Prenez vos l............................. !
– Oui, madame.

b. C.......................... on dit « Sorry » en français ?
– Pardon !

c. Vous pouvez ...., s'il vous plaît ?
– Je répète : Le professeur de mathématiques
s'appelle M. Durand.

d. Vous .... ?
– ...., je ne comprends pas !

---

8 Coche quand tu entends le son [z]. ★

a. ❑   b. ❑   c. ❑   d. ❑   e. ❑   f. ❑

Leçon 3 Des matières à faire

● ●

1 **Écris et compare avec un(e) camarade.** ★

a. Tu adores (3 matières) ☺ ...., ..., ...

b. Tu détestes (2 matières) ☹ ...., ...

c. Tu aimes bien (3 matières) ☺ ...., ..., ...

● ● ●

2 **Écoute Benjamin et retrouve les jours de la semaine.** ★ ★

a. J'adore le ...., j'ai trois heures de cours seulement !

b. Je déteste le ...., il y a cours de musique et de physique !

c. J'aime bien le .... après-midi, il y a EPS !

d. Mais je préfère le .... : je fais du roller avec les copains !

● ● ●

3 **Associe les illustrations aux phrases.** ★

1.

2.

3.

a. C'est le professeur Rogue. Il est professeur au collège *Poudlard.*

b. C'est Corbin. C'est un élève de *High School Musical.*

c. C'est Yolande. Elle est infirmière au collège *Kadic.*

● ● ●

4 **Décris les personnages de l'activité 3 avec les mots suivants.** ★ ★

jeune – vieux – bruns – beau – infirmière – longs – jolie – courts – mignon

a. Yolande : elle est j................................, elle a les cheveux c................................, elle est i................................ .

b. Le professeur Rogue : il est v................................, il a les cheveux b................................ et l................................ .

c. Corbin : il est j................................, il est b................................ et il est m................................ .

5 Observe les féminins irréguliers, puis complète. ★

masculin	féminin
gros	grosse
roux	rousse
....	grise
vieux	vieille
....	mignonne
....	directrice

6 Lis le texte puis recopie les mots de la liste qui ne changent pas au masculin pluriel. ★★

Les frères Thomas sont directeurs d'une grosse entreprise. Ils vendent des livres pour les grands et les petits, pour les vieux et les jeunes. Les frères Thomas sont roux et leurs parents ont les cheveux gris. Ils sont très gros !

petit – roux – grand – vieux – gris – gros – directeur – livre

a. ....   b. ....   c. ....   d. ....

7 Mets les verbes conjugués de la liste à la bonne place. ★

adorent – aime – détestent – arrive – déteste – adore

a. Aurélie Bonnet .... bien le collège, mais elle ....
souvent en retard en cours de géo, le lundi matin.

b. La prof de géographie .... les élèves en retard. En général, les profs
.... les élèves en retard, c'est normal !

c. Elisabeth Delmas .... Ulrich Stern, mais Ulrich et ses amis n'...................................
pas Elisabeth.

8 Conjugue les verbes entre parenthèses. ★★

Les frères Tin *(adorer)* .... les maths. Adrien Tin est très bon en physique,
Damien *(aimer)* .... bien la physique, mais lui et sa camarade, Chloé Dunois,
(préférer) .... les SVT.
Chloé dit souvent : « Les SVT, j' *(adorer)* .... ! »
Et toi, qu'est-ce ce que tu *(aimer)* ...., qu'est-ce que tu *(détester)* .... ?

 Lecture # Le collège *Les Tamarins*

1 **Lis cette page perso du collège *Les Tamarins* de la Réunion.**

📖 Blog du collège *Les Tamarins* de la Réunion.

Hery

Salut, c'est moi Hery. J'ai 13 ans et je mesure 1,61 m : je suis grand et fort et...
je suis le plus beau du collège !

Je suis en 4ᵉ C au collège *Les Tamarins* à Saint-Pierre de la Réunion ! La rentrée,
c'est le 18 août, mais j'ai un mois de vacances en janvier. C'est super ! Je peux aller à la plage.

Ma passion : faire du surf tous les jours ! Tu aimes le surf ?
J'aime le cinéma et le <u>hip hop</u>.

Hery, Fan de <u>cinéma</u>
STAR WARS : mon film préféré.
Ici, c'est **mon Méchant préféré** :   Ici, **mon Héros préféré** :

Dark Maul

Obi-Wan Kenobi

Et toi, quel est ton film préféré ? Qui est ton méchant préféré ? Et ton héros préféré ?

2 **À toi !**

a. Qu'est-ce que tu sais de Hery ?
 âge : ....   sexe : ....
 taille : ....   classe : ....

b. Cherche, sur la carte de la francophonie du livre de l'élève, où se trouve la Réunion.

c. Hery ne parle pas de ses matières préférées, il parle de ....

d. Et toi ? Quel est ton film préféré ? Ton méchant préféré ? Ton héros préféré ?

e. Écris ta page perso comme Hery !

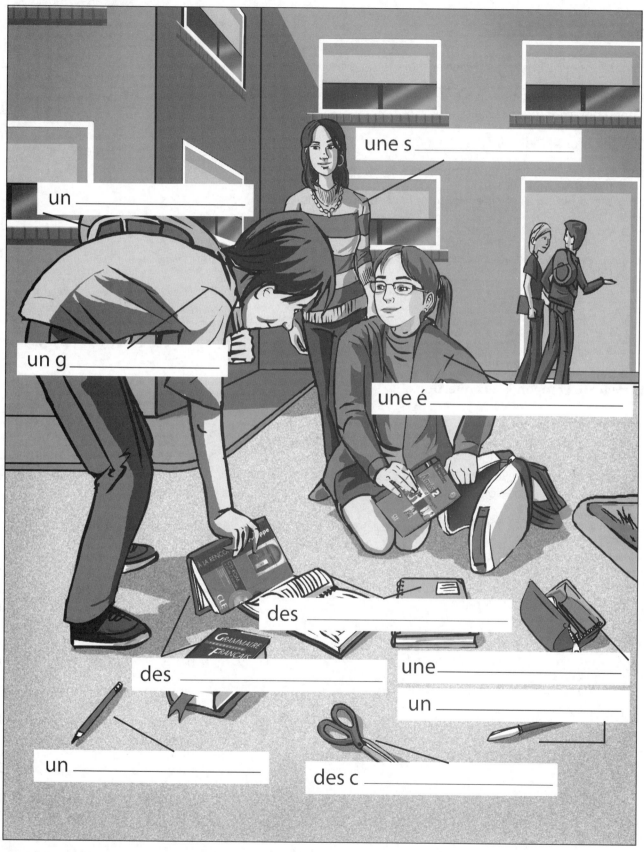

une s_____

un _____

un g_____

une é_____

des _____

des _____

une_____

un _____

un _____

des c _____

Complète avec les mots étudiés dans l'unité.

Comprendre un texte écrit en français

1 Coche les cases suivantes.

a. Je comprends les consignes du livre, mais je ne sais pas les lire à voix haute. ❑

b. Si je ne comprends pas un mot je demande la traduction
à un/une camarade ou au professeur. ❑

c. Le titre, les grosses lettres et les images m'aident pour la compréhension. ❑

d. Je traduis tous les mots pour comprendre le texte. ❑

e. Une phrase ou le texte m'aident à comprendre un mot nouveau. ❑

f. J'utilise ma langue pour deviner un mot nouveau. ❑

g. Je lis une deuxième fois la phrase ou le texte pour vérifier ma compréhension. ❑

●●●

2 Lis le texte et réponds aux questions.

Le directeur et le professeur principal de 5ᵉ A se disputent. Ils parlent d'une élève : Aurélie Bonnet. Avant, parfait : bonne élève, appliquée... Mais un seul défaut : elle arrive toujours en retard ! Elle rate le premier cours tous les matins. Maintenant, elle a de mauvaises notes : 6/20 en français et 4/20 en mathématiques ! Le directeur décide de convoquer les parents et d'imposer une sanction. Le professeur principal préfère parler avec l'élève avant de voir les parents.

a. Souligne les mots que tu comprends.

b. Résume la situation dans ta langue.

c. Lis les mots nouveaux. Écris les
mots correspondant dans ta langue.

- sanction : ....
- imposer : ....
- convoquer : ....
- problème : ....
- voir : ....

d. Regarde les mots nouveaux. Utilise le contexte pour comprendre. Coche la réponse correcte.

1. professeur principal	= professeur tuteur	❑
	= chef des professeurs	❑
	= je ne sais pas	❑
2. avant	≠ maintenant	❑
	≠ hier	❑
3. rater	= perdre	❑
	= détester	❑
4. mauvais	≠ bon	❑
	≠ nul	❑
5. les parents	= la famille	❑
	= d'autres professeurs	❑
	= je ne sais pas	❑

1 **Associe la question et la réponse.** /5

a. Il a quel âge ?
b. Qui c'est ?
c. Comment il s'appelle ?
d. Comment il est ?
e. Il est dans quelle classe ?

1. C'est un élève.
2. Il a 13 ans.
3. Il est sympa.
4. Il est en 4e B.
5. Il s'appelle Julien.

2 **Associe les mots et les images.** /5

a. livre
b. trousse
c. sac à dos
d. tableau
e. stylo

1.
2.
5.
3.
4.

3 **Complète avec un article défini et un article indéfini.** /4

a.	surveillante
b.	élève
c.	directeur
d.	professeurs

4 **Complète le texte avec les verbes conjugués.** /4

adorons – aiment – déteste – aimez

a. Je .... le lundi, il y a six heures de cours !

b. Les élèves .... le mercredi après-midi, ils n'ont pas cours.

c. Vous .... le mardi ?

d. Nous .... le mardi après-midi, il y a EPS !

5 **Relie les chiffres aux mots.** /2

a. 47
b. 38
c. 18
d. 26

1. vingt-six
2. dix-huit
3. quarante-sept
4. trente-huit

**Corrige en classe ou à la maison
et compte ton score.**
• **Tu as plus de 15 ? Bravo !**
• **Tu as autour de 10 ? Pas mal.**
• **Tu as moins de 8 ? Aïe ! Revois les leçons et mémorise !**

Leçon 1 Allô allô ?

1 Lis les situations de la page 22, Unité 2 de ton livre de l'élève et complète les conversations. ★★

Valentin, c'est ....
Bon ....,
mon chéri !

Mais, ce n'est pas aujourd'hui,
mon ....,
c'est le ....
Aujourd'hui, ... le 20 octobre.

......................,
je viens !

Bonjour !

Quelle fête ?

.... Léa ?
Bonjour, c'est Marine.
.... ?

2 Écoute et coche la bonne réponse.

a. Conversation téléphonique 1. ★★

1. C'est l'anniversaire de...
   ☐ Léo. ☐ Victor. ☐ Pauline.

2. Son anniversaire c'est...
   ☐ le 25 janvier. ☐ le 28 janvier.

3. Sa fête d'anniversaire est...
   ☐ le 25 janvier. ☐ le 28 janvier.

4. C'est...
   ☐ aujourd'hui. ☐ demain.

b. Conversation téléphonique 2.
Vrai ou faux ? ★

	Vrai	Faux
1. Valentin téléphone à Emma.	☐	☐
2. C'est l'anniversaire de Louise.	☐	☐
3. L'anniversaire, c'est aujourd'hui.	☐	☐
4. L'anniversaire, c'est demain.	☐	☐
5. L'anniversaire, c'est le 22 octobre.	☐	☐

3 Complète les dialogues avec le verbe *avoir.* ★

– Vous .... quel âge ?

– Nous .... 12 ans. Lucie .... 11 ans,
  Valentin et Léo .... 13 ans et toi ?

– Moi, j'................... 14 ans.

– Tu .... un stylo ?

– Non, j' .... un crayon.

4 Remplace *nous* par *on.* ★

a. Nous allons à la fête de Valentin.
....

b. Nous avons 15 ans.
....

c. Nous aimons le français.
....

d. Nous détestons le sport.
....

5 Ils ont quel âge ? Compte les bougies. Une bougie = 10 ans. ★ ★

a. *4 x 10 = 40 : il a 40 ans.* **b.** .... **c.** .... **d.** ....

6 Associe les lettres aux chiffres. ★

a. cent   **1.** 81
b. cinquante-deux   **2.** 67
c. quarante-six   **3.** 33
d. quatre-vingt-un   **4.** 100
e. soixante et onze   **5.** 52
f. quatre-vingt-dix-neuf   **6.** 46
g. soixante-sept   **7.** 71
h. trente-trois   **8.** 99

7 Écris les numéros de téléphone de Lucie. ★

Mon portable, c'est le zéro, six, vingt et un, quatre-vingt-huit, soixante-dix, cinquante-cinq. Et mon fixe, c'est le zéro, un, trente-deux, quatre-vingt-dix-huit, soixante-quinze, quarante-huit.

....

....

8 Écoute. Écris les numéros de téléphone de Louise, Valentin, Lucie, Léo, Léa et Marine. ★

Louise : 06 22 54 95 45   Lucie : ....   Léa : ....
Valentin : .... Léo : ....   Marine : ....

9 Complète le dialogue avec les mots de la liste. ★ ★

fête – a – anniversaire – ans – vais – vas – âge – a

– Aujourd'hui, c'est l'............................. d'Émilie.

– Oui, et samedi elle fait une ....

– Est-ce que tu .... à la fête d'Émilie ?

– Bien sûr, c'est à 5 heures.

– Je .... aussi à la fête d'Émilie.

– Et elle a quel .... Émilie ?

– Elle .... 13 ....

10 Écris les dates avec des lettres. ★

a. ....   **d.** ....

b. ....   **e.** ....

c. ....   **f.** ....

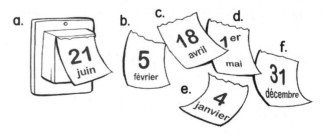

Leçon 2 Je t'invite

● ●

1 Lis l'invitation de Lucie et les réponses de Louise et Marie. ★

a. Qui accepte ? ....

b. Qui refuse ? ....

lucie t'invite à son anniversaire le 12 octobre, à 16 heures

70, rue St Maur
75011 Paris
Donne ta réponse, s'il te plaît !
Tél : 06 93 51 46 32
luciek@yahoo.fr

Désolée ! Le 12 c'est l'anniversaire de ma grand-mère. Dommage ! Salut. Louise

To: Lucie
Subject: anniversaire

Salut Lucie,
C'est d'accord pour ton anniversaire !
Merci pour ton invit'.
Bises.
Marie

● ● ●

2 Écoute les deux conversations. Coche et complète les réponses.

a. Conversation 1 ★

1. C'est l'anniversaire de...
□ Lucie. □ Emma.

2. C'est quand ?
□ le 12/10. □ le 12/04.

3. Elle...
□ accepte l'invitation. □ refuse.

b. Conversation 2 ★★

1. C'est l'anniversaire de...
□ Léo. □ Valentin.

2. C'est quand ? Le ...., à 4 heures.

3. C'est un...
□ mercredi. □ samedi. □ dimanche.

4. Il...
□ accepte l'invitation. □ refuse.

● ● ●

3 Sépare les mots pour faire des phrases. ★

a. Jenepeuxpasveniràtonanniversaire. **b.** Onnevapasàlafête. **c.** Jenesuispaslibre. **d.** Ellenevientpas.

● ● ●

4 Remets les phrases dans l'ordre. ★★

a. monsieur / maths / de / s'appelle / ne / Le / pas / professeur / Dubosc.

....

b. Ils / la / à / vont / fête / Lucie. / de / ne / pas

....

c. ne / Valentin / sport. / pas / le / déteste

....

d. pas / Marie / sport. / n' / le / aime

....

5 Complète les phrases avec le verbe *aller*. ★

a. Nous .... à l'anniversaire de Marie.

b. Tu .... à la fête de Lucie.

c. Il ne .... pas à la fête.

d. Vous .... au collège Voltaire.

e. Elles .... en cours.

f. On .... à l'anniversaire de Mamie.

6 **Deux anniversaires le 12 octobre ! Choisis une invitation.** ★★

Emma t'invite
à son anniversaire.
Samedi 12 octobre
à 14 heures

12 rue de Lyon

Qu'est-ce que tu fais
le 12 octobre
à 16 heures ?
C'est mon anniv' ! !
J'ai 12 ans.
On va faire la fête !
Bastien
Bast.m@hotmail.fr

a. Écris pour accepter l'invitation que tu préfères.

b. Écris pour refuser l'autre invitation.

7 **Décore et écris une invitation pour ton anniversaire.** ★★

 8 **Entoure le mot quand tu entends le son [ɛ] de *aime*.** ★

a. aller – vêler

b. appeler – appelle

c. mets – mais

d. mère – mémé

e. ride – raide

f. plaît – met

g. refuser – refusait

h. dette – dés

1 Associe les dessins aux expressions suivantes : ★

cheveux raides – cheveux bouclés – cheveux longs – cheveux courts

a. ....   b. ....   c. ....   d. ....

2 Colorie la fille a. en blonde, la b. en rousse, la c. et la d. en brune. ★

3 Colorie les yeux en : a. bleu, b. vert, c. marron, d. noir. ★

4 Complète avec *c'est* et *ce sont*. ★

a. Lucie, ... une fille sympa.
b. Lucie et Valentine, ... deux collégiennes.
c. Valentin, ... un adolescent, il a 12 ans, ... son anniversaire aujourd'hui.

5 Écris le nom des accessoires suivants : *un chapeau, une casquette, un collier, des lunettes.* ★

6 Complète les dialogues avec le verbe *être*. ★★

a. – C'............. l'anniversaire de Valentin. Il ....
mignon et super sympa.

b. – Vous .... libres le 14 septembre ?
– Oui. Nous .... libres.

c. – Lucie et Marie .... blondes ?
– Non, elles .... rousses.

d. – Je .... moche avec le chapeau bleu !
– Mais non, tu .... beau !

7 *Être* ou *avoir* ? Entoure le bon verbe. ★

a.	Je	*ai / suis*	mignon.
b.	Tu	*as / es*	des lunettes.
c.	Il	*a / est*	laid.
d.	Elle	*a / est*	les yeux bleus.
e.	On	*a / est*	les cheveux raides.
f.	Nous	*avons / sommes*	beaux.
g.	Vous	*avez / êtes*	les cheveux blonds.
h.	Ils	*ont / sont*	bruns.
i.	Elles	*ont / sont*	de grandes dents.

8 Écris le féminin correspondant à l'adjectif masculin . ★

grande – moche – bouclée – mignonne – rousse – courte – brune – verte – belle – laide

	masculin	féminin = masculin + e
1.	blond	blond**e**
2.	grand	
3.	brun	
4.	bouclé	
5.	court	
6.	vert	
7.	laid	

	masculin = féminin
1.	raide
2.	

	masculin ≠ féminin	
1.	long	long**ue**
2.	roux	
3.	beau	

	masculin en *-on* = féminin en *-onne*
1.	mignon

9 C'est qui ? Écoute les conversations et retrouve les personnages : Marine, Noémie, Elsa, Jules, Jim et Arthur. ★★

Les prénoms à la fête !

1 **Lis le texte.**

DEC
13 SAM

1918

La fête des Lucie, c'est le 13 décembre. On dit aux Lucie « Bonne fête Lucie ! ».
Pour donner un prénom à sa fille ou à son fils, les parents regardent parfois le calendrier ; ils cherchent une idée !

Les prénoms vont et viennent !
Par exemple, en 1920, Léa était un prénom à la mode et aujourd'hui, Léa est dans le Top des prénoms de filles en France et au Québec.

2 **Regarde les listes, qu'est-ce que tu remarques ?**

Les filles s'appellent :

Aujourd'hui	En 1980	En 1960	En 1940	En 1920
Léa	Julie	Catherine	Marie	**Léa**
Emma	Émilie	Sylvie	Louise	Marie
Lola	Laure	Christine	Liliane	Alice
Camille	Céline	Martine	Monique	Lucie
Manon	Stéphanie	Patricia	Nicole	Jeanne
Marie	Aurélie	Brigitte	Colette	Camille
Louise	Lucie	Véronique	Pauline	Emma
Alice	Pauline	Isabelle	Odile	Paulette
Lucie	Virginie	Marie	Françoise	Suzanne
Pauline	Sandrine	Corinne	Geneviève	Marguerite

Les garçons s'appellent :

Aujourd'hui	En 1980	En 1960	En 1940	En 1920
Thomas	Nicolas	Philippe	Maxime	Louis
Lucas	Julien	Pascal	Claude	Alexis
Maxime	Sébastien	Alain	Bernard	Gabriel
Hugo	David	Michel	Guy	**Jules**
Alexis	Christophe	Luc	Paul	Victor
Jules	Cédric	Patrick	Jacques	Jean
Louis	Alexandre	Thierry	Michel	André
Théo	Thomas	Eric	Paul	Henri
Nicolas	Jérôme	Daniel	Gérard	Roger

3 **Quels prénoms sont à la mode dans ton pays ?**

4 **Quels vieux prénoms sont à la mode aujourd'hui dans ton pays ?**

Joyeux anniversaire !

Complète avec les mots étudiés dans l'unité.

Les mots pour poser des questions et décrire une personne

1 **Associe le début à la fin de la question.**

a. Comment…

b. Est-ce que…

c. Quel…

d. Quelle…

e. Quels…

f. Quelles…

g. Qui…

1. …garçon va à la fête ?

2. …tu t'appelles ?

3. …mots tu connais ?

4. …matières tu préfères ?

5. …c'est la fille blonde ?

6. …fille va à la fête ?

7. …tu vas à la fête ?

2 **Maintenant, pose trois questions.
Utilise les mots interrogatifs : *comment, est-ce que, qui.***

....

....

....

....

....

3 **Classe les mots dans la bonne colonne.**

vert – grand – raides – longs – un chapeau – mignon – noir – une casquette –
beau – des lunettes – blonds – un collier – bleu – moche – bouclés – laid – bruns –
courts – roux – petit – marron – frisés

Les cheveux	La couleur des cheveux	La couleur des yeux
La taille	**Les accessoires**	**Les appréciations sur le physique**

4 **Maintenant, décris une personne.**

....

....

Test

Unité 2

1 **Écris les chiffres.** /2

a. Quatre-vingt-onze ....

c. Cinquante-six ....

b. Quarante-neuf ....

d. Quatre-vingt-dix-neuf ....

2 **Écoute et écris les chiffres.** /4

a. .... **b.** .... **c.** .... **d.** .... **e.** .... **f.** .... **g.** .... **h.** ....

3 **Conjugue le verbe *avoir*.** /2

a. Tu .... quel âge ?

b. Léa et Marine .... les cheuveux longs.

c. Vous .... 12 ou 13 ans.

d. J'............... un chapeau.

4 **Écoute. Qui va à l'anniversaire de Valentin ? Coche la bonne réponse.** /3

	Accepte	Refuse
a. Alexis	☐	☐
b. Océane	☐	☐
c. Sarah	☐	☐

5 **Mets les phrases dans l'ordre.** /3

a. pas / ne / cinéma. / au / Elle / va

....

b. vient / ne / Il / samedi. / pas

....

c. pas / n' / est / Elle / blonde.

....

d. pas / contente. / suis / Je / ne

....

e. a / n' / Il / pas / cheveux / les / bouclés.

....

f. des / sont / Ce / pas / jumeaux. / ne

....

6 **Donne une réponse négative.** /2

a. – Est-ce que tu vas à la fête ?

– Non, ...

b. – Tu peux venir samedi ?

– Non, ...

7 **Mets les phrases au féminin.** /4

a. Il est blond. ....

b. Il est beau. ....

c. Il est roux. ....

d. Il est grand et mignon. ....

Corrige en classe ou à la maison
et compte ton score.
• Tu as plus de 15 ? Bravo !
• Tu as autour de 10 ? Pas mal.
• Tu as moins de 8 ? Aïe ! Revois les leçons et mémorise !

Leçon 1 Photos de famille

1 Complète comme dans l'exemple. ★

ma mère ↔ maman

a. ....↔ papa

b. mes parents ↔ mon .... et ma ....

c. mes grands-parents ↔ papi et ....

2 Complète les phrases avec : *qui, où, quand.* ★

a. C'est .... ton anniversaire ?

b. Ta grand-mère, elle habite .... ?

c. Le bébé, c'est .... ?

d. .... est mon livre de maths ?

3 Complète les phrases avec : *qui, où, comment, quand, combien.* ★★

a. .... est l'auteur de *Twilight* ?

b. Papa, ... est mon vélo ?

c. .... s'appelle le chien de Samy ?

d. Maman parle avec une dame, c'est .... ?

e. .... est-ce que tes grands-parents partent en vacances cette année ?

f. Tu as .... d'amis sur *Facebook* ?

4 Complète avec le verbe *aller.* ★

a. Pour les grandes vacances, je .... chez mes grands-parents.

b. En hiver, tu .... souvent à la montagne ?

c. Nous, cet été, nous .... au Maroc !

d. Et vous, vous .... où ?

e. Et Chloé, tu sais où elle .... pour les fêtes ?

5 Aide Bart Simpson à présenter sa famille. ★

a. Complète avec des pronoms toniques.

Je vous présente ma famille. ...., je m'appelle Bart et je suis super sympa. ...., le gros, à côté, c'est mon père, Homer. Après, ..., c'est ma sœur Lisa ; elle a toujours des bonnes notes. Enfin, ..., c'est ma mère, Marge. Et le bébé, c'est ma petite sœur Maggie. Nous avons aussi un chien mais ...., il n'a pas de nom.

................., on est une famille un peu spéciale. Et ....,
comment est ta famille ?

b. Écoute et vérifie.

Salut tout le monde et bienvenue chez les Simpson !

6 **Une famille de clones. Entoure la bonne réponse.** ★★

- Sur la photo, c'est *ton / ta* père ?
- Non, c'est *ma / mon* grand-père.
- Ils sont identiques !
- Oui, *ma / mon* grand-mère dit que *ses / son* fils est un clone de *sa / son* mari.
- Et *ma / ta* mère, qu'est-ce qu'elle dit ?
- Elle est d'accord. Elle dit que *ma / mon* père, *mon / son* grand-père et moi, *ton / son* fils, on est des copies conformes.
- Sympa *ta / tes* famille !

7 **Chacune ses affaires !** ★★

a. Complète avec les adjectifs possessifs.

Paula oublie souvent .... affaires.

Paula : Dis, Évelyne, tu me prêtes .... stylo rouge ?

Évelyne : D'accord, mais c'est .... stylo, Paula.

Paula : Oui... et .... règle, je peux ?

Évelyne : Pfff... Regarde dans .... sac à dos si tu as .... matériel.

Paula : .... sac à dos est à la maison...

Évelyne : Bon d'accord. Tiens, je te prête aussi .... gomme et .... crayon. Mais pense à .... affaires !

Paula : Merci Évelyne. Dis, tu as vu le dessin de Lucas ? Il est beau .... dessin !

Évelyne : .... dessins sont toujours très beaux !

Paula : Oui, ce n'est pas comme .... dessins.

 b. Écoute et vérifie.

Leçon 2 Noël et compagnie

1 **Complète les phrases avec le verbe *aller* pour former le futur proche.** ★

a. Ce soir, tu ……………....………….. regarder le film à la télévision ?

b. Ils ……………....………….. aller à la fête de Mathieu.

c. Nous ……………....………….. manger une pizza.

d. Elle ……………....………….. voir sa cousine à Noël.

●●●

2 **Complète les phrases avec le bon verbe au futur proche.** ★★

offrir – parler – faire – aller – venir

a. Ce week-end, tu ……………....………….. du ski à la montagne ?

b. Vous ……………....………….. avec votre professeur aujourd'hui ?

c. Et tes cousins, ils ……………....………….. pour Noël ?

d. Nous, cet été, nous ……………....………….. au Maroc !

e. Pour Noël, je ……………....………….. un cadeau à ma sœur.

●●●

3 **Aujourd'hui, Robin va skier. Écris ce qu'il va faire.** ★★

• Mettre sa combinaison de ski • Acheter son forfait • Mettre ses skis • Prendre le télésiège • Descendre la piste • Tomber

a. Robin ……….
………………………..

b. Il ……………….
………………………..

c. ………………….
………………………..

d. ………………….
………………………..

e. ………………….
………………………..

f. ………………….
………………………..

●●●

4 **C'est qui ? Réponds.** ★

a. Le frère de ma mère, c'est mon ………………….. .

b. Le père de ta mère, c'est ton ………………….. .

c. Le fils de ma mère, c'est mon ………………….. .

d. La fille de mon oncle, c'est ma ………………….. .

e. La sœur de ta mère, c'est ta ………………….. .

f. La mère de ma mère, c'est ma ………………….. .

5 **Énigme. Lis et complète l'arbre généalogique de Sophie.** ★★

Mario : Je suis le père de Sophie et le mari de Chloé.

Norman : Je suis le père de Mario. Ma femme s'appelle Brigitte.

Hugo : Mario, c'est mon frère et ma femme, c'est Alice.

Yann : Ma grand-mère s'appelle Brigitte et j'ai une sœur, Anne.

Paul : Je suis le frère de la mère de Sophie et j'ai un fils, Karl.

Caroline : Ma tante s'appelle Chloé et j'ai un frère, Karl.

Karl : Ma mère s'appelle Catherine et ma grand-mère Madeleine.

Sophie : Mon grand-père maternel s'appelle Raymond.

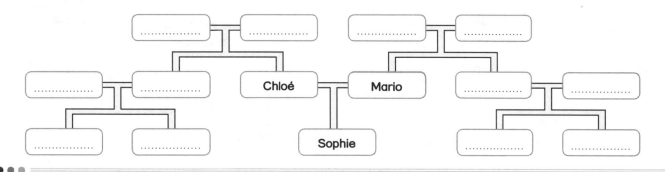

6 **Complète les phrases avec une expression de quantité.** ★

peu de – beaucoup de – pas de – trop de

a. Noémie a

....

chaussures.

b. Noémie n'a

....

chaussures.

c. Noémie a

....

chaussures.

d. Noémie a

....

chaussures.

7 **Complète avec une expression de quantité.** ★★

À Noël, au moment des cadeaux...

a. Mes grands-parents sont généreux. Ils offrent .... cadeaux.

b. Ma sœur Amélie n'est jamais contente. Elle dit qu'elle a .... cadeaux.

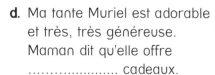

c. Mon oncle François est avare. Il n'offre .... cadeau.

d. Ma tante Muriel est adorable et très, très généreuse. Maman dit qu'elle offre .... cadeaux.

Beaucoup de cadeaux !

1 Caroline ouvre ses cinq cadeaux de Noël. Trouve les mots et associe les pièces du puzzle. ★

Quels sont les cadeaux de Caroline ?

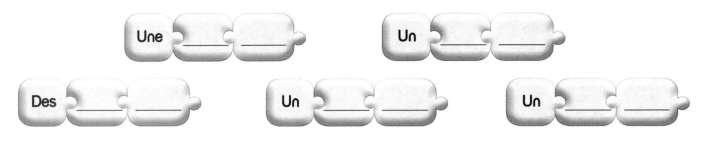

Une _____ _____   Un _____ _____

Des _____ _____   Un _____ _____   Un _____ _____

---

2 Complète avec le verbe *vouloir*. ★

a. Pour Noël, je .... un sweat bleu.

b. Qu'est-ce qu'elle .... pour son anniversaire ?

c. Tu es capricieux. Tu .... tout !

d. Il .... venir avec nous à la montagne ?

3 Fais la liste des cadeaux que tu vas offrir pour Noël. ★

Un livre pour papa

---

4 Tu es bon en peinture ? Écris les noms des couleurs et colorie les rectangles. ★

a. On appelle ces deux couleurs des "non-couleurs". Ce sont...

le _ _ _ _ c et le n _ _ _ .

b. Les trois couleurs primaires sont...

le _ _ _ g _ , le j _ _ _ e et le _ l _ _ .

5 La peinture, tu aimes ? Complète les opérations de mélanges. ★★

_ _ l _	+	_ L _ _ _	= GRIS
_ O _ _ _	+	BLANC	= ROSE
_ _ U _ _	+	_ A _ _ _	= ORANGE
_ _ E _	+	_ _ U _ _	= VERT

6 Qui suis-je ? Regarde les dessins : c'est une piste ! ★★

a. Je suis courte ou longue. Quand je suis très courte, on dit « mini ».

Je suis ....

b. Je suis un vêtement chaud, bon pour sortir l'hiver.

Je suis ....

c. Je suis toujours avec ma camarade. On dit « paire ».

Je suis ....

d. J'ai des dessins sur moi... et des manches courtes.

Je suis ....

---

7 Complète les phrases avec les mots proposés. ★

noir – rectangulaire – rond – plastique

a. La bouteille est en ....

b. Mon bracelet est ....

c. Son t-shirt est ....

d. La télé est ....

---

8 Devine ton cadeau. Regarde les dessins : c'est une piste ! ★★

a. C'est rectangulaire et je peux mettre beaucoup de choses à l'intérieur.

C'est un ....
....

b. C'est brillant, élégant pour un jour de fête.

C'est un ....
....

c. C'est très bien pour courir et c'est à la mode !

Ce sont des ....
....

d. Pour chanter nos chansons préférées.

C'est une ....
....

1 Lis cet article.

Les Français aiment les fêtes...
Voici d'autres fêtes qu'ils célèbrent !

« Bonne fête maman ! »

Au mois de mai, c'est la fête des mères. En France, c'est le dernier dimanche de mai. Ce jour-là, on offre un cadeau à sa maman. On peut l'acheter, mais les mamans aiment beaucoup plus les cadeaux faits par les enfants.

« Bonne fête papa ! »

En juin, ce sont les papas qui sont à l'honneur avec la fête des pères, le troisième dimanche du mois.

« Je t'aime »

Et bien sûr, le 14 février, les amoureux.

Regarde ton calendrier !

2 Réponds aux questions.

a. C'est la même chose dans ton pays ? Les fêtes sont à la même date ?

b. Il y a d'autres fêtes où on offre des cadeaux ? Quand ?

c. En général, tu achètes tes cadeaux ou tu les fais ?

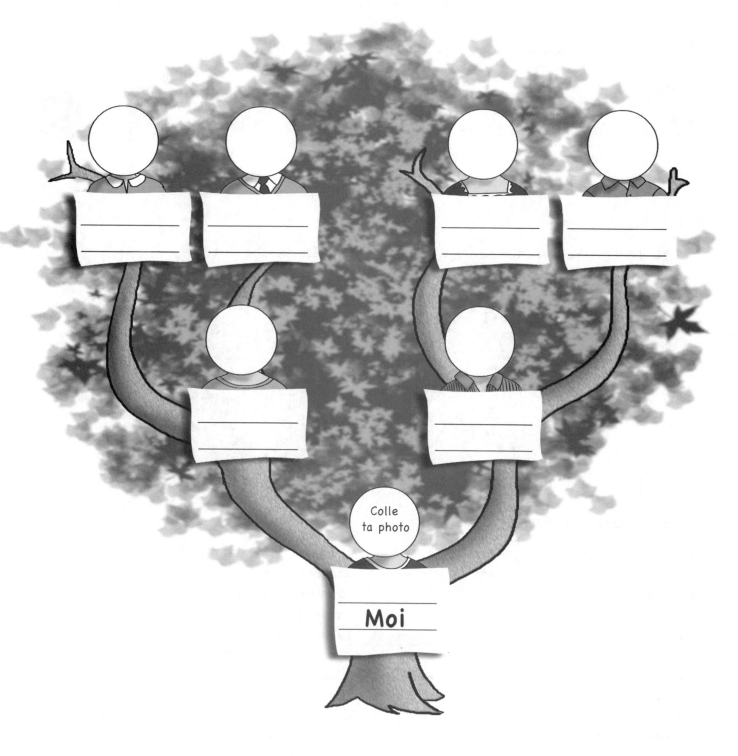

Fais ton arbre généalogique.

a. **Découpe et colle les visages de ta famille.**

b. **Écris dans les étiquettes le nom de chaque personne et la relation avec toi.**

Apprendre des mots nouveaux

Quand on apprend une langue, on ne connaît pas beaucoup de mots. C'est normal !

1 **Écris sous le dessin le nom des objets que tu connais.**

a. ....   b. ....   c. ....   d. ....   e. ....   f. ....   g. ....   h. ....

....

 2 **Écoute la conversation sans lire le texte. Quels objets cherche Karl ?**

 3 **Réécoute, lis et vérifie.**

***Karl* :** Bonjour, je cherche… ah, je ne connais pas le nom en français. Ça sert à jouer… à un sport.

***Le vendeur* :** Pour jouer… à un sport. Un ballon ?

***Karl* :** Je ne sais pas…

***Le vendeur* :** Regardez ce ballon de foot. C'est ça ?

***Karl* :** Non, non, ce n'est pas ça. C'est rond, mais c'est petit.

***Le vendeur* :** Rond et petit… rond et petit. Une balle ? Mais pour quel sport ?

***Karl* :** Je ne connais pas le nom en français.

***Le vendeur* :** Le tennis ! On joue avec des balles jaunes. Regardez.

***Karl* :** Non, elles sont jaunes ou blanches ! Plus petites, et… en plastique.

***Le vendeur* :** Je ne vois pas. On joue comment à ce sport ?

***Karl* :** Sur une table.

***Le vendeur* :** Ok ! Vous jouez au ping-pong.

***Karl* :** Au ping-pong, c'est ça.

***Le vendeur* :** Bien ! Autre chose ?

***Karl* :** Oui. C'est une chose pour protéger ses yeux du soleil.

***Le vendeur* :** Des lunettes de soleil.

***Karl* :** Non. C'est un vêtement pour mettre sur la tête.

***Le vendeur* :** Une casquette ?

***Karl* :** Oui, c'est ça. Une casquette, merci…

Quand tu ne connais pas un mot, il faut donner des pistes : *C'est rond et petit, c'est en plastique, c'est un vêtement, c'est pour protéger ses yeux du soleil…*
Ainsi, tu peux communiquer et apprendre beaucoup de mots nouveaux !

 Unité 3

1 Tu connais la série TV américaine *Charmed* ? Complète les phrases. /4

a. Je suis le 2e enfant de Piper et Leo. Je m'appelle ....

b. Je m'appelle Penelope et je suis la .... de Phoebe.

c. Je suis Prue. Mon .... s'appelle Victor.

d. Moi, c'est Piper. Mes .... s'appellent Prue, Phoebe et Paige.

2 Mets le verbe entre parenthèses au futur proche. /3

a. Il *(acheter)* .... un cadeau à son père.

b. Nous *(partir)* .... en vacances dimanche.

c. Tu *(voir)* .... ta cousine à Noël.

3 Qu'est-ce qu'ils vont faire ? /3

a. ....
....
....

b. ....
....
....

c. ....
....
....

4 Réponds. /3

a. Quelle est la couleur de la mer ? ....

b. Quelle est la couleur du soleil ? ....

c. Quelle est la couleur de l'herbe ? ....

5 Complète avec un adjectif possessif. /4

a. .... école

b. .... anniversaire

c. .... mère

d. .... amis

6 Complète et trouve trois vêtements. /3

a. des _ a _ k _ _ _

b. un j _ _ _

c. un _ l _ _ s _ n

Corrige en classe ou à la maison et compte ton score.
- Tu as plus de 15 ? Bravo !
- Tu as autour de 10 ? Pas mal.
- Tu as moins de 8 ? Aïe ! Revois les leçons et mémorise !

Leçon 1 Qu'est-ce qu'on fait ?

1 Écoute et trouve les activités. ★

Mon père fait des ....

Maman, elle, fait du ....

Monique fait de la ....

Jules et Maxime font de ....

Léo fait du ....

Maïté du ....

Zoé du ....

Et toi, Gervais, qu'est-ce que tu fais ?

2 Complète avec le verbe *faire.* ★★

a.

Qu'est-ce que tu ....?

Je ....du vélo.

b.

Qu'est-ce que vous ....?

On ....de l'acrobatie.

Nous.............. des exercices pour entrer à l'école du cirque.

3 Associe. ★

a. du

b. de la

c. des

d. de l'

1. acrobatie
2. claquettes
3. percussions
4. flûte
5. parapente
6. football
7. escrime
8. voile

4 Trouve les cinq activités cachées dans la grille. (Trois à la verticale, deux à l'horizontale.) ★

S	D	E	C	L	W	I	O	A	D
O	N	I	L	O	S	C	P	B	Y
Z	I	N	A	T	A	T	I	O	N
Q	F	L	R	H	V	G	A	X	U
V	N	O	I	U	M	K	R	E	H
Y	G	C	N	J	Y	A	Z	U	M
F	T	H	E	A	T	R	E	T	T
O	K	I	T	L	I	A	S	S	E
I	P	E	T	W	X	T	A	H	S
S	A	J	E	P	S	E	Y	U	R

 5 Écoute. Souligne les mots qui ont le son [ɔ̃] en bleu et les mots qui ont le son [ɑ̃] en vert. ★

violent – ils font – devant – dans – violon – marrant – elles vont – chanson – absent – savon

 6 Écoute et coche quand tu entends le son [ɔ̃]. ★

	a.	b.	c.	d.	e.	f.
[ɔ̃]						

7 Écoute et coche quand tu entends le son [ɑ̃]. ★

	a.	b.	c.	d.	e.	f.
[ɑ̃]						

8 Écris [ɔ̃] et [ɑ̃]. ★★

a. Place les mots dans les deux vestiaires :

ballon – jambe – dans – sortons – violent – ombre – attends – thon – salon – ensemble

b. Comment on écrit [ɔ̃] ? ...., ...

c. Comment on écrit [ɑ̃] ? ...., ..., ..., ...

Leçon 2 Comment on fait ?

 1 **Tir à l'arc.** ★

a. Écoute comment on tire à l'arc et coche le bon dessin.

1. a. ☐ b. ☐

2. a. ☐ b. ☐

3. a. ☐ b. ☐

4. a. ☐ b. ☐

b. Réécoute et vérifie.

● ● ●

2 **Associe la phrase au bon dessin.** ★

a. Pliez les jambes ! ......

b. Baissez la tête ! ......

c. Pose le ballon par terre ! ......

d. Place ton pied gauche sur le ballon ! ......

e. Levez les bras en l'air ! ......

f. Sautez en avant ! ......

1.

2.

3.

4.

5.

6.

● ● ●

3 **Transforme à l'impératif.** ★

a. Nous levons la tête, bien droite. Nous chantons.

.... ! .... !

b. Vous partez. Vous courez.

.... ! .... !

c. Tu prends la balle. Tu lèves le bras. Tu lances.

.... ! .... ! .... !

4 **Mets les verbes entre parenthèses à l'impératif.** ★★

Un cours de Yoga

Nous allons faire les premiers mouvements de la salutation au soleil. Vous êtes prêts ?

*D'abord, (lever) . . . . les bras en l'air,
puis (étirer) . . . . les bras et le dos en arrière.*

*Tout doucement, on revient à la position droite,
les bras en l'air.*

*Maintenant, (faire) . . . . la position de la pince :
(plier) . . . . le corps en deux, comme une pince.*

*Julie, les bras sont par terre, (toucher) . . . .
le sol avec tes bras ! (baisser) . . . . encore un peu
les bras, oui, comme ça !*

---

5 **Associe les mots aux dessins.** ★

a. le bras   **b.** le poignet   **c.** le nez   **d.** l'oreille

1.   2. 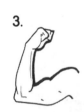   3.    4.

6 **Avec quoi je travaille ?
Retrouve la partie du corps.** ★★

genou – yeux – pieds – tête – main – coude

a. J'écris avec la ....

b. Je lis avec les ....

c. Je fais du foot avec les ....

d. Je pense avec ma ....

e. Je plie le bras avec mon ....

f. Je plie la jambe avec mon ....

---

7 **Où est la balle ? Complète avec les mots suivants.** ★

sur – en l'air – sous – par terre

a. Elle est .... la table.

c. Elle est .... le pied du joueur.

e. Elle est ....

b. Elle est ....

d. Elle est .... la raquette.

f. Elle est .... la raquette.

1   **Écoute Théo parler au docteur. Réponds aux questions.** ★★

a. Théo a mal…

   ❏ aux yeux.   ❏ aux oreilles.   ❏ aux pieds.

b. Il écoute de la musique…

   ❏ un peu.   ❏ tout le temps.

c. Il écoute la musique…

   ❏ au minimum.   ❏ fort.   ❏ au maximum.

d. Le conseil du docteur :

   ❏ Écoute moins fort !   ❏ Écoute plus fort !

e. Le docteur dit que Théo peut finir « sourd ». Ce mot veut dire :

   ❏ qu'on n'entend pas bien.   ❏ qu'on entend bien.

2   **Retrouve les parties du corps de l'*homo televisus*.** ★★

a. Partie de la main pour allumer la télécommande → le ....

b. Partie du corps pour digérer les chips → le ....

c. Partie du bras qui fait mal quand on joue trop aux jeux vidéo → le ....

d. Parties de la tête pour écouter la musique → les ....

e. Partie de la tête entre les cheveux et les yeux → le ....

3   **Regarde les dessins et associe les questions aux réponses.** ★

a.   **b.**   **c.**   **d.**

a. Pourquoi il a mal au ventre ?   **1.** Parce qu'elle fait du vélo.

b. Pourquoi elle a mal aux oreilles ?   **2.** Parce qu'il étudie trop.

c. Pourquoi il a mal a la tête ?   **3.** Parce que son père fait du bricolage.

d. Pourquoi elle est en forme ?   **4.** Parce qu'il boit trop de soda.

4   **Transforme les conseils en ordres à l'impératif.** ★

Exemple : Il faut courir !   Cours !   Courez !

a. Il faut manger de la salade !   ....

b. Il faut faire du sport !   ....

c. Il faut prendre des vitamines !   ....

5 **Transforme les ordres en conseils avec *il faut*.** ★

a. Écoute la musique moins fort ! ....

b. Arrêtez de fumer ! ....

c. Attrapez la balle ! ....

6 **Complète avec *au, aux, à la*.** ★

La Princesse au petit pois a mal partout !

Aïe ! j'ai mal .... dos !

Ouille ! j'ai mal .... bras droit !

Aïe aïe aïe ! j'ai très mal .... tête.

Ouille ! j'ai mal .... jambes.

Aïe ! j'ai mal .... ventre !

7 **Complète avec les mots de la liste.** ★★

à – au – à la – du – de la – des – aux

Dans ma famille, tout le monde fait quelque chose.

Ma grand-mère joue .... violon, mon grand-père joue .... harpe. Ma mère joue .... basket et elle fait aussi .... piano. Mon père fait .... haltères et il joue .... guitare électrique. Moi, je joue .... football et je chante.

8 **Qu'est-ce qu'il dit ? Décode la phrase !** ★

♥ = A   ♠ = L   ♣ = N
✿ = E   ♦ = M   ✧ = S
♣ = J

♣ ✿ ♦ ✿ ✧ ✿ ♣ ✧ ♦ ♥ ♠

__ __   __ __   __ __ __ __   __ __ __

9 **Écris les expressions dans la bonne case.**

Je ne me sens pas bien. – Je suis en pleine forme. – Ça va très bien. – Ça ne va pas. – J'ai mal.

positif +	
négatif –	

Un loisir « Spectacul'air »

1 **Lis le témoignage de Lucie sur le forum de *Loisirsados*.**

Moi, le jeudi après-midi et le samedi matin, je fais un atelier théâtre à ***Spectacul'air,*** une école des arts du spectacle.

C'est super ! On est un groupe de 12 ados de 11 à 15 ans. Il y a des filles et des garçons (mignons, les garçons !).

D'abord, on se prépare, c'est l'échauffement.

On bouge dans la salle, on fait des mouvements, on danse. On travaille la voix : on crie vers un camarade au fond de la salle, on chuchote à l'oreille d'un autre, on parle doucement.

Ensuite, on fait des exercices, c'est comme des jeux : on répète des phrases rigolotes ou difficiles à prononcer, on fait des jeux de mime ou de sculptures vivantes !

Après, on fait souvent des petits sketchs improvisés à 2, 3, ou 4. Ensuite, on travaille les textes et les pièces de théâtre. On s'amuse beaucoup, et on apprend !

Depuis que je fais cet atelier, j'ai plus de mémoire : maintenant, j'ai 16/20 en français et en histoire ! Et puis j'ai plus confiance en moi : je n'ai pas peur de parler en public ! Mon rêve ? Devenir actrice !

2 **Réponds.**

a. Le loisir de Lucie, c'est...
- ❏ un sport.
- ❏ un art.
- ❏ une activité scolaire.

b. C'est un loisir...
- ❏ plutôt masculin.
- ❏ plutôt féminin.
- ❏ mixte.

c. L'échauffement, c'est...
- ❏ une préparation.
- ❏ la fin d'une activité.
- ❏ une punition.

d. Grâce à cet atelier, Lucie a maintenant...
- ❏ de bonnes notes.
- ❏ de mauvaises notes.

les dents

Complète avec les mots étudiés dans l'unité.

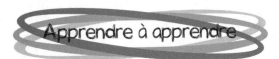

Apprendre à apprendre

Mémoriser des mots en français

1 Réfléchis : comment tu fais pour mémoriser les mots de la leçon ? Coche.

a. Je recopie les mots sur un cahier. ☐

b. J'écoute et je répète le mot. ☐

c. J'écris le mot en français et je fais un dessin à côté. ☐

d. J'associe le mot français à un mot de ma langue. ☐

e. J'associe le mot français à un geste. ☐

f. J'associe le mot français à un autre mot français de la même « famille ». ☐

g. Je « chante » les mots nouveaux ou les conjugaisons. ☐

●●●

2 Tu fais la même chose pour tous les mots ?

●●●

3 Trouve les objets et les parties du corps dans la liste. Souligne les mots.

a. Fais un dessin pour chaque mot.

b. Écris le mot sur une étiquette à part.

N'oublie pas de mettre l'article devant !

Liste de mots :

- attraper
- balle (n. f.)
- baisser
- bras (n. m.)
- corps (n. m.)
- coude (n. m.)
- courir
- derrière

- devant
- droit(e)
- en arrière
- en avant
- en bas
- en haut
- en l'air
- épaule (n. f.)

- gauche
- genou (n. m.)
- jambe (n. f.)
- lancer
- lever
- main (n. f.)
- pied (n. m.)
- plier

- poser
- prendre
- raquette (n. f.)
- sauter
- sous
- sur
- tête (n. f.)
- tomber

●●●

4 Entoure dans la liste les mots qui correspondent à des actions.

Ce sont des verbes ! Tu peux faire un dessin, mais tu peux aussi faire un geste.

Fais l'action et dis le verbe en même temps !

Je saute !

5 Il reste encore des mots dans ta liste… Ils servent à situer.

Travaille avec un(e) camarade et un objet : il/elle te dit le mot et tu places l'objet à l'endroit où il/elle dit. Ensuite, inversez les rôles.

En haut !

 **Test**

1 **Conjugue les verbes entre parenthèses.** /6

Masha est kendoka, elle *(faire)* .... du kendo, c'*(être)* .... un art martial japonais.
Ses parents *(faire)* .... aussi le même sport. Ils *(être)* .... champions d'Europe !
Ils *(aller)* .... s'entraîner trois fois par semaine au club de kendo-judo.
Et vous ? Vous *(faire)* .... un art martial ?

2 **Donne des conseils avec *il faut*.** /2

a. Tu ne fais pas de sport ? Il .... du sport !

b. Vous écoutez de la musique très fort ? Il .... la musique moins fort !

3 **Donne les mêmes conseils à l'impératif.** /2

a. Tu ne fais pas de sport ? .... du sport !

b. Vous écoutez de la musique très fort ? .... la musique moins fort !

4 **Complète avec *pourquoi, parce que, parce qu'*.** /1

– .... tu veux mettre ton blouson ?

– Je veux mettre mon blouson .... il fait froid. Je ne veux pas avoir froid !

5 **Complète avec les mots de la liste qui conviennent.** /4

des – au – du – à la – de la – de l' – de la

Sabrina adore faire .... tennis. Elle joue .... tennis tous les samedis. Sa sœur Malena préfère faire
.... danse. Elle fait aussi .... claquettes ! Son père joue .... violon et sa mère fait .... escrime
et .... flûte. Son chat est le plus sportif de la famille, il joue .... balle tous les jours !

6 **Complète.** /5

le museau

les poils ___

la queue

les moustaches

les pattes

Corrige en classe ou à la maison
et compte ton score.
• Tu as plus de 15 ? Bravo !
• Tu as autour de 10 ? Pas mal.
• Tu as moins de 8 ? Aïe ! Revois les leçons
et mémorise !

Leçon 1 — Une autre ville

1 — Trouve la bonne fin des phrases. ★

a. À la pharmacie, on achète...
b. Au cinéma, on va voir...
c. Dans une bibliothèque, on trouve...
d. Au centre commercial, on achète...
e. À la boulangerie, on achète...

1. ...le pain.
2. ...des livres.
3. ...des médicaments.
4. ...des films.
5. ...des vêtements.

2 — Lis les phrases. Vrai ou faux ? Corrige les phrases incorrectes. ★★

	Vrai	Faux
a. À la pharmacie, on trouve des croissants.	☐	☐
b. Pour boire un soda, on va à la bibliothèque.	☐	☐
c. Dans un parc, il y a des arbres, des bancs et des fontaines.	☐	☐
d. J'achète des baskets au centre commercial.	☐	☐
e. Dans un centre sportif, on peut voir de bons films.	☐	☐

3 — Regarde le dessin. Lis la liste de mots et dis si les objets sont ou ne sont pas dans la salle de SVT. ★★

1. un tableau
2. des balles de tennis
3. une table
4. une console de jeux
5. des chaises
6. un squelette
7. des microscopes
8. une carte de France
9. des ordinateurs
10. une télévision

Dans la salle de SVT...

a. il y a...
....
....
....

b. il n'y a pas de/d'...
....
....
....

4 — Complète les phrases avec : *à côté, sous, entre, sur.* ★★

 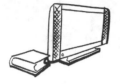  

a. Le chat est .... le canapé.
b. Le livre est .... de la télévision.
c. La balle est .... le lit.
d. Le collier est .... les bracelets.

5 Complète les phrases avec la bonne préposition. ★★

a. Alex est .... Jonathan et Élodie.

b. Élodie est .... d'Alex.

c. Émilie et Carla sont assises ....
un arbre.

d. John est .... Fanny.

e. Fanny est .... John.

6 Complète la description de l'image avec les bonnes prépositions. ★★

a. .... Coraline, il y a une grande maison.

b. .... de Coraline, il y a un grand arbre étrange.

c. .... Coraline, on voit un chat noir.

d. .... de la maison, il y a un petit arbre.

e. Trois personnages mystérieux sont .... Coraline.

7 Fais trois phrases pour décrire l'image, comme dans l'activité 6. ★★

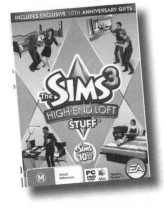

a. ....

b. ....

c. ....

Leçon 2 Itinéraires

1 Complète avec le verbe *prendre*. ★

a. Ma mère .... le train pour aller au travail.

b. Le matin, je .... toujours un croissant.

c. Nous .... la voiture pour aller en ville.

d. Tu .... le bus pour aller au collège ?

e. Ils .... l'avion à 17 heures.

f. Vous .... toujours un café au petit-déjeuner.

2 Lis et complète les phrases avec le verbe à l'impératif. ★★

a. Un GPS à un conducteur : « *(prendre)* ....
la première rue à droite. »

b. Un garçon à deux dames qui cherchent une pharmacie : « *(passer)* ....
devant la boulangerie, c'est juste après. »

c. Toi, à un autre ado qui cherche un magasin de DVD :
« *(tourner)* .... à droite, c'est là. »

d. Toi, à deux jeunes qui cherchent l'office de tourisme :
« *(continuer)* .... tout droit dans cette même rue. »

OFFICE DE TOURISME

🎧 **Écoute et vérifie.**

3 Mets les questions dans l'ordre. ★

a. vient / chez / Qui / samedi / toi .... ?

b. la / se / bibliothèque / Où / trouve .... ?

c. fait / pour / on / chez / Comment / arriver / toi .... ?

d. est / que / fais / tu / Qu' / demain / -ce .... ?

4 Complète les questions avec : *où, quel, quelle, quand, comment.* ★

a. .... on fait pour le travail de géo ?

b. Tu habites .... ?

c. – Pour aller chez Lucie, je prends .... bus ?
– Le numéro 69.

d. – .... direction ?
– Direction Beaupuy.

e. – Tu viens .... ?
– Samedi après-midi.

5 Écoute et dessine sur le plan la bibliothèque, le collège et le cinéma. ★★

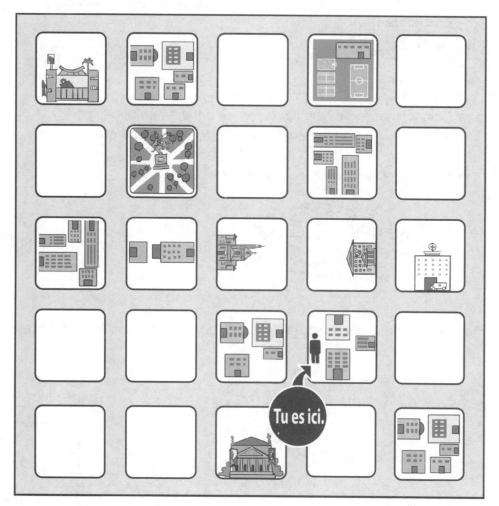

Tu es ici.

---

6 Écoute et coche. [b] ou [v] ? ★★

	a.	b.	c.	d.	e.	f.	g.	h.
[b]								
[v]	X							

---

7 Dictée. Écoute et complète avec *b* ou *v*. ★★

…ien…enue en …ille !

Le …ieux quartier de la …elle …ille de …alence est très agréable. Dans ses rues, les gens …ont et …iennent. …alérie, …éa et …alentin …ont au collège en …élo. Le week-end, ils aiment …ien aller …oir un …on film au cinéma.

Leçon 3 Orientation et transports

1 **Charade. Trouve le moyen de transport.** ★★

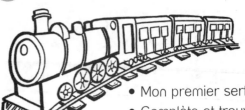

- Mon premier sert à parler et à chanter.
- Complète et trouve mon deuxième : *je parle, … parles, il parle.*
- Mon troisième est les deux dernières lettres du verbe *prendre.*

- Mon tout est un moyen de transport très utilisé : V _ _ _ _ _ E

---

2 **Trouve les moyens de transport dans la grille. (Six à la verticale, cinq à l'horizontale.)** ★★

T	A	B	R	S	B	C	V	A	T	O	T
R	V	O	I	T	U	R	E	B	E	C	R
O	I	Z	E	A	S	A	L	O	E	R	E
N	O	U	D	X	C	R	O	L	L	E	R
O	N	D	R	I	H	O	N	I	E	L	C
M	O	T	O	T	E	S	I	N	P	E	A
E	A	R	C	E	B	S	A	E	H	T	M
T	R	A	M	W	A	Y	T	X	A	T	I
R	O	I	T	E	L	E	U	R	N	E	A
O	S	N	A	T	R	I	P	O	T	I	N
X	T	R	O	T	T	I	N	E	T	T	E

---

3 **Coche. Les transports sont utiles pour…** ★

a. On prend le métro…

b. On prend un taxi…

c. On utilise sa voiture…

d. L'avion, c'est pratique…

❑ …pour promener son chien.

❑ …pour aller au centre-ville.

❑ …pour faire ses courses.

❑ …pour voyager très loin.

❑ …pour aller au travail.

❑ …pour transporter des meubles.

❑ …pour faire du sport.

❑ …pour aller chez son voisin.

4 Mets les mots dans l'ordre. ★★

a. E U M I B M L E : un ....

b. G A E T E : un ....

c. A N I S O M : une ....

d. E S A D R S E : une ....

5 Énigme. Lis et trouve où habitent Lucie, Noémie, Jim et Benoît.
Écris les noms sur les étiquettes. ★

• Une fille habite au dernier étage.

• Benoît habite au 2ᵉ étage, au-dessous de Noémie.

• Lucie habite entre Benoît et Jim.

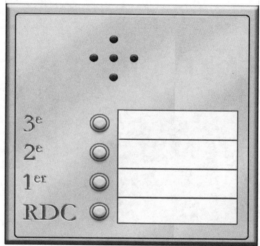

6 Mets les questions dans l'ordre. ★★

a. on / s'il / plaît / au / va / parc / vous / Comment .... ?

b. de / l' / se / où / bus / Pardon / trouve / arrêt .... ?

....

c. -moi / quel / chemin / est / aller / au / pour / cinéma / le / Excusez .... ?

....

7 Écoute et barre les lettres que tu n'entends pas. ★

a. métro   **b.** à pied   **c.** cinéma   **d.** petit   **e.** géant   **f.** grand

 **Lecture** Paris

1 Lis et réponds aux questions.

Un grand bonjour de France !

Je m'appelle Sylvie et j'habite à Paris.

Il y a beaucoup de monuments à visiter à Paris : la tour Eiffel, Notre-Dame ou le musée du Louvre… et aussi beaucoup de choses à faire : voir une exposition, aller à un concert...

Viens dans ma ville en été : c'est super ! Tu peux aller à la plage ! Oui, il y a Paris plage ! Tu imagines, une plage dans une ville loin de la mer ? Génial, non ?

a. Où habite Sylvie ?

....

c. Cite un monument de Paris à visiter.

....

b. Qu'est-ce qu'il y a à Paris en été ?

....

2 Lis cette fiche puis écris une fiche sur ta ville.

France

Pays : France

Ville : Paris

À visiter : la tour Eiffel, le musée du Louvre, Notre-Dame.

À faire : promenades sur la Seine, aller à la plage.

....

Colle une photo de ta ville.

Pays : ....

Ville : ....

À visiter : ....

....

À faire : ....

....

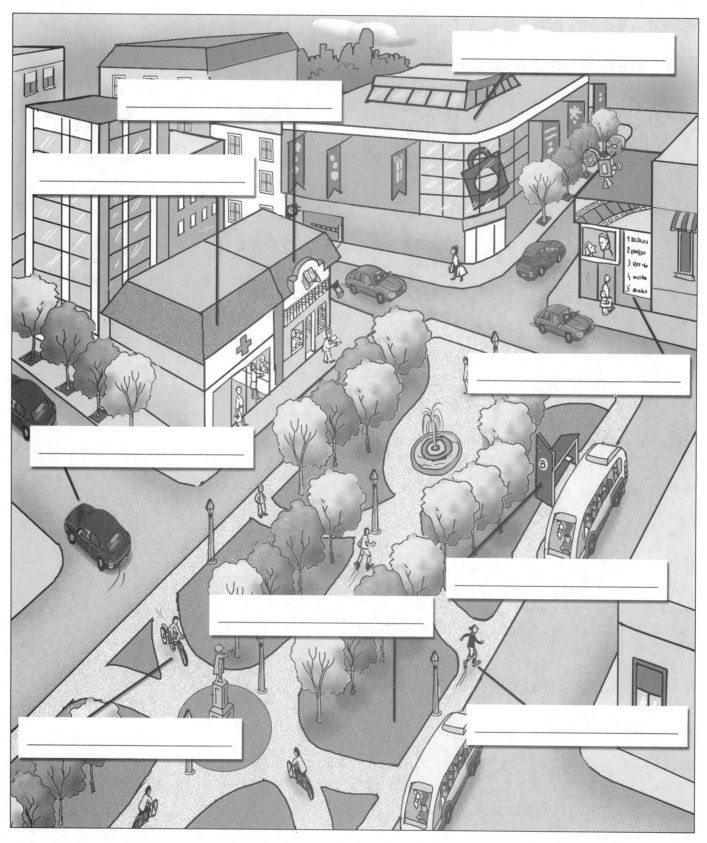

Complète avec les mots étudiés dans l'unité.

S'orienter dans une ville

Dans une ville, les lieux publics sont indiqués par des pictogrammes.

1 **Observe les pictogrammes. Tu les connais ?**

 1.

 2.

 3.

 4.

 5.

 6.

 7.

 8.

2 **Quel pictogramme tu vas suivre pour...**

a. ...trouver un hôtel ? ....

b. ...trouver des toilettes ? ....

c. ...prendre le bus ? ....

d. ...téléphoner ? ....

e. ...prendre un taxi ? ....

f. ...avoir des informations touristiques ? ....

g. ...manger ou boire ? ....

h. ...acheter un médicament ? ....

Maintenant, tu peux t'orienter facilement dans la ville !

1 **Complète les phrases.** /4

a. Le livre est .... les CD.

b. Le portable est .... l'étagère.

c. Le bracelet est .... la boîte.

d. Le chat est .... la souris.

2 **Complète avec le verbe *prendre*.** /4

a. Tu .... le bus tous les jours.

b. Vous .... la deuxième rue, à droite.

c. Je .... ton vélo, d'accord ?

d. Ils .... toujours la voiture pour partir en vacances.

3 **Complète avec :** *quand,* *comment, où, qui.* /4

a. – .... c'est ?

– C'est mon cousin.

b. – .... il s'appelle ?

– Julien.

c. – .... il habite ?

– À Lyon.

d. – Il vient .... ?

– Pour Noël.

4 **Entoure la bonne réponse.** /4

a. *S'il te plaît / S'il vous plaît* monsieur, où se trouve l'arrêt de bus ?

b. *S'il te plaît / S'il vous plaît* Tom, tu me prêtes ton stylo ?

5 **Entoure la bonne réponse.** /4

a. Je vais chez David *à / en* métro.

b. Il va au collège *à / en* pied.

c. Il va voyager *à / en* train, c'est rapide.

d. J'adore faire des promenades *à / en* trottinette.

Corrige en classe ou à la maison
et compte ton score.

• Tu as plus de 15 ? Bravo !

• Tu as autour de 10 ? Pas mal.

• Tu as moins de 8 ? Aïe ! Revois les leçons et mémorise !

Leçon 1 — Quelle heure est-il ?

1 **Écris l'heure en lettres.** ★

a. Il est ....
....

Quelle heure est-il, s'il vous plaît ?

b. Il est ....
....

c. Il est ....
....

---

2 **Écris l'heure officielle dans la colonne.** ★★

Justine : Je vais au cinéma à la séance de quatre heures et demie ! **(1)**

Alice : Je peux venir chez toi à trois heures et quart ? **(2)**

Justine : Impossible ! Louis passe à deux heures dix et nous allons faire les devoirs de maths. **(3)**

Alice : Alors je viens à quatre heures moins le quart. **(4)**

Justine : À quatre heures moins cinq, ça va ? **(5)**

Alice : D'accord, à tout à l'heure !

1. 16 h 30 mn
2. ....
3. ....
4. ....
5. ....

---

3 **Écoute et dessine les aiguilles sur la montre.** ★

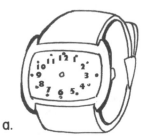

a.

b.

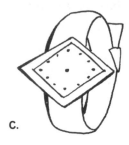

c.

---

 4 **Écoute et écris le numéro correspondant à la situation.** ★★

Situation a.

Situation b.

Situation c.

Situation d.

Situation e.

n° ......

n° ......

n° ......

n° ......

n° ......

5 La journée de Jade. ★★

a. Complète les phrases.

a.

Jade ....

b.

Elle ....

c.

Elle va ....

d.

Elle .... la télévision.

e.

Elle ....

f.

Elle fait ....

b. Mets les vignettes dans l'ordre.

....

 6 **Écoute et écris l'emploi du temps de Joseph sur la page d'agenda.** ★★

7 **Complète avec *à* ou *a*.** ★★

a. Elle .... 15 ans.

b. Nous allons .... la boulangerie.

c. Il .... un sac à dos.

d. Lucie se lève .... 9 heures et se couche .... 22 heures.

e. J'habite .... Paris.

f. Marie habite ... côté de la boulangerie.

Leçon 2 — Quel temps fait-il ?

1 — Décalage horaire. ★

a. Écris en lettres l'heure de Paris et de Montréal.

• À Paris, il est *(22 h)* ....
....

• À Montréal, il est *(16 h)* ....
....

b. Calcule le décalage horaire entre Paris et Montréal.

....

2 — Lis la définition et complète la grille. ★

a. Pays au Nord-Est de la France.

b. Pays au Sud-Est de la France.

c. Pays au Nord de la France.

d. Pays à l'Ouest de l'Espagne.

e. Pays au Sud de la France.

a.

		A		

b. | I | | L | | |

c. | B | | | | | E |

| | | G | | |

d. | P | | | | G | |

e. | E | | | | | E |

3 — Complète le dialogue avec : *à, en, au, aux.* ★★

— Tu vas où, cet été ?

— Je vais ...... New York, ... États-Unis. Et toi ?

— Je vais chez mon oncle, ... Malaga, ... Espagne.
Puis nous voulons aller ...... Portugal.

— Super, non ?

4 **Charade.** ★

• Mon premier est la lettre n° 9 de l'alphabet.

• Mon deuxième est la couleur de l'herbe.

• Quand mon tout arrive, il fait froid !

....

5 **Regarde les dessins. À ton avis, c'est quelle saison ?** ★

a.

b.

c.

C'est ....   C'est ....   C'est ....

....

6 **Coche la bonne réponse.** ★

a. Il fait mauvais !
  • Il y a du soleil.   ❏
  • Il pleut.   ❏

b. Il fait beau !
  • Le soleil brille.   ❏
  • Il y a des nuages.   ❏

c. Il fait chaud !
  • Il fait 10° C.   ❏
  • Il fait 30° C.   ❏

d. Il fait froid !
  • Il fait – 5° C.   ❏
  • Il fait 20° C.   ❏

7 **Écoute et place avec une flèche les bons icones sur la carte.** ★

8 **Complète avec *où, ou.*** ★

a. ...... est mon livre de français ?

b. ...... tu vas passer Noël ?

c. On va à la piscine ...... au cinéma ?

d. ...... se trouve Montréal ?

e. Tu veux un blouson bleu ...... rouge ?

Leçon 3 Pendant ce temps-là…

1 **Mets les phrases au masculin.** ★

a. Elle est française. → Il est ....

b. Elle est vietnamienne. → Il est ....

c. Elle est chinoise. → Il est ....

d. Elle est russe. → Il est ....

e. Elle est colombienne. → Il est ....

f. Elle est espagnole. → Il est ....

2 **Écoute et coche la bonne réponse.** ★

	Masculin	Féminin	On ne sait pas
a.			X
b.			
c.			
d.			
e.			
f.			
g.			
h.			

3 **Regarde les objets et devine la profession.** ★

a.   b.   c.   d.

Il est ....   Elle est ....   Elle est ....   Il est ....

4 **Trouve six professions dans la grille (quatre à la verticale, deux à l'horizontale).
Regarde les dessins : ce sont des pistes !** ★★

P	W	J	O	S	E	B	D	I	J	F
H	B	O	U	L	A	N	G	E	R	O
A	S	U	V	D	Y	M	I	T	U	X
R	U	R	A	E	U	D	S	A	F	C
M	Q	N	O	N	T	R	E	O	V	U
A	M	A	C	T	E	U	R	A	C	L
C	O	L	Y	I	U	Z	V	Z	A	I
I	T	I	Z	S	O	X	E	L	M	E
E	D	S	F	T	R	L	U	N	D	H
N	Y	T	I	E	T	H	R	Z	O	R
W	N	E	A	P	A	Q	V	I	L	S

5 **Mets au féminin les professions trouvées dans la grille.** ★★

a. ....   d. ....

b. ....   e. ....

c. ....   f. ....

6 **Écoute et associe les images aux conversations.** ★

a.	b.	c.	d.

Conversation :	Conversation :	Conversation :	Conversation : ....

7 **Écoute et réponds aux questions.** ★ ★

Villes	Prénoms	Quelle heure est-il dans chaque pays ?	Quelle est la profession de chaque personne ?
Paris	Jules		
Montréal	Marcel		
Bruxelles	Marie		
Dakar	Aïssatou		

8 **Coche quand tu entends le [œ] de *serveur* ou le [ø] de *serveuse*.** ★

	a.	b.	c.	d.	e.	f.	g.
[œ]	X						
[ø]							

La France du bout du monde

1 **Lis les textes.**

Saint-Pierre-et-Miquelon

C'est où ? Près du Canada, à 4 700 km de la France.

Décalage horaire avec la métropole :
– 5 heures en hiver.
– 6 heures en été.

Histoire : découvertes par les Portugais en 1520, les îles sont habitées par des Français à partir de 1604.

La Polynésie française

C'est où ? Dans l'océan Pacifique sud, à 17 100 km de la France.

Décalage horaire avec la métropole :
– 11 heures en hiver.
– 12 heures en été.

Histoire : les Européens arrivent au xvie siècle. La Polynésie devient française au xixe siècle.

La Martinique

C'est où ? Dans les Antilles à 7 100 km de la France.

Décalage horaire avec la métropole :
– 5 heures en hiver.
– 6 heures en été.

Histoire : l'île est découverte au début du xvie siècle et devient française en 1635.

La Guyane

C'est où ? En face du Brésil, à 6 800 km de la France.

Décalage horaire avec la métropole :
– 4 heures en hiver.
– 5 heures en été.

Histoire : Christophe Colomb découvre la Guyane en 1498. La France installe des colonies en 1503.

La Nouvelle-Calédonie

C'est où ? À l'est de l'Australie, à 16 700 km de la France.

Décalage horaire avec la métropole :
+ 10 heures en hiver.
+ 9 heures en été.

Histoire : des Français s'installent en 1841. La Nouvelle-Calédonie devient française en 1853.

La Réunion

C'est où ? À l'est de Madagascar, à 9 300 km de la France.

Décalage horaire avec la métropole :
+ 3 heures en hiver.
+ 2 heures en été.

Histoire : au xvie siècle, les Portugais découvrent l'île. La compagnie française des Indes Orientales s'installe en 1642.

2 **Réponds aux questions.**

a. Dans les régions présentées dans l'activité 1, comment s'appelle la France ?

....

b. Quelle île est la plus près de la France ?

....

c. Quelle île est la plus loin de la France ?

....

Une heure dans le monde

Il fait _____

-3° 7:45

Il est _____
_____

Il y a des _____

BUS 39 70 87

Il _____

une _____

Complète avec les mots étudiés dans l'unité.

Les pays, les nationalités et les professions

1 **Quels pays tu connais ? Fais une liste.**

La France ....

....

....

....

2 **Place les pays que tu connais dans le tableau.**

Pays masculin	Pays féminin	Pays pluriel
J'habite **au**	J'habite **en France**, ...	J'habite **aux** ....
....	....	....
....	....	....
....	....	....
....	....	....

3 **Place les adjectifs et les noms suivants dans le tableau.**

serveur – acteur – styliste – pharmacien – boulanger – directeur – musicien – suisse – américain – chilien – marocain – journaliste

masculin	féminin	
-eur	-euse	*coiffeur / coiffeuse,*
-teur	-trice	
-er	-ère	
-ien	-ienne	
-ain	-aine	
masculin =	féminin	

Maintenant, tu connais le masculin et le féminin des nationalités et des professions en français !

**Test**

1 **L'heure.** /3

a. Demande l'heure en français.

.... heure

........................, s'il vous plaît ?

b. Donne l'heure courante.   **c.** Donne l'heure officielle.

....

....

....

2 **Place les points cardinaux sur la boussole.** /4

....

....

....

3 **Relie pour faire une phrase.** /5

J'habite •

• en •
• au •
• aux •

• Comores.
• Portugal.
• France.
• Congo.
• Belgique.

4 **Mets au féminin.** /3

a. Il est américain. Elle est ....

b. Il est bolivien. Elle est ....

c. Il est suisse. Elle est ....

5 **Mets au masculin.** /3

a. Elle est avocate. Il est ....

b. Elle est coiffeuse. Il est ....

c. Elle est boulangère. Il est ....

6 **Complète les phrases.** /2

a. Il ....

b. Il y a ....

c. Il fait ....

d. Il fait ....

Corrige en classe ou à la maison
et compte ton score.
• Tu as plus de 15 ? Bravo !
• Tu as autour de 10 ? Pas mal.
• Tu as moins de 8 ? Aïe ! Revois les leçons et mémorise !

Lexique et Communication

Annexes

🎧 Unité 1

Adorer : ....

Aimer : ....

Absent(e) : ....

Anglais (n. m.) : ....

Arts plastiques (n. m./plur.) : ....

....

Barbe (n. f.) : ....

Blond(e) : ....

Brun(e) : ....

C'est bien : ....

C'est nul : ....

Cahier (n. m.) : ....

Cantine (n. f.) : ....

Ciseaux (n. m./plur.) : ....

Classe (n. f.) : ....

Collège (n. m.) : ....

Cour (n. f.) : ....

Cours (n. m.) : ....

Crayon (n. m.) : ....

Détester : ....

Dimanche (n. m.) : ....

Directeur(trice) (n. m./f.) : ....

École (n. f.) : ....

Éducation civique (n. f.) : ....

Éléphant (n. m.) : ....

Élève (n. m./f.) : ....

Emploi du temps (n. m.) : ....

En retard : ....

EPS (Éducation Physique
et Sportive) (n. f.) : ....

Femme (n. f.) : ....

Fille (n. f.) : ....

Flûte (n. f.) : ....

Garçon (n. m.) : ....

Gomme (n. f.) : ....

Gros(se) : ....

Histoire-géo(graphie) (n. f.) : ....

Homme (n. m.) : ....

J'aime bien : ....

Jeudi (n. m.) : ....

Jeune : ....

Livre (n. m.) : ....

Lundi (n. m.) : ....

Lunettes (n. f./plur.) : ....

Lycée (n. m.) : ....

Madame (n. f.) : ....

Mardi (n. m.) : ....

Maths (mathématiques)
(n. f./plur.) : ....

Matière (n. f.) : ....

Mercredi (n. m.) : ....

Monsieur (n. m.) : ....

Musique (n. f.) : ....

Petit(e) : ....

Physique-chimie (n. f.) : ....

Préférer : ....

Présent(e) : ....

Professeur (n. m./f.) : ....

Récré(ation) (n. f.) : ....

Règle (n. f.) : ....

Roux (rousse) : ....

Sac à dos (n. m.) : ....

Samedi (n. m.) : ....

Stylo (n. m.) : ....

Surveillant(e) (n. m./f.) : ....

SVT (Sciences de la vie
et de la Terre) (n. f.) : ....

Sympa : ....

Tableau (n. m.) : ....

Technologie (n. f.) : ....

Trousse (n. f.) : ....

Vendredi (n. m.) : ....

Vieux (vieille) : ....

Épeler – Demander comment s'écrit un mot

– Comment ça s'écrit « vacances » ?
– V.A.C.A.N.C.E.S.

Saluer – Dire au revoir

– Salut, ça va ?
– Ça va !

– Bonjour mademoiselle.
– Bonjour Jérôme.

– Bon, au revoir, monsieur !
– Au revoir ! À bientôt !

Se présenter – Présenter quelqu'un

– Bonjour tout le monde, je me présente : Hugues.

– Bonjour madame, je suis Renaud Polensac, le directeur commercial de Picrosov.
– Enchantée, je suis Valérie Durand, directrice de Apfel.
– Enchanté !

– Comment tu t'appelles ?
– Aminata. Et toi ?
– Je m'appelle Aurélie.

– C'est Manuel, c'est un élève, il a 12 ans.
– Je te présente Olive, elle a 12 ans et elle est en 5ᵉ.

Poser des questions sur quelqu'un

– Qui c'est, le monsieur brun avec la barbe ?
– Ah, lui ? C'est le prof de maths, Berzot.
– Il est sympa ?
– Oui... ça va.

– Qui c'est la fille blonde, là ?
– C'est la surveillante, Julie !

– Qui est en retard ?
– Aurélie, madame.

Décrire quelqu'un

- Il est mignon. / Elle est mignonne.
- Il est grand, petit, gros, mince, brun, blond, roux...
- Elle est grande, petite, mince, blonde, rousse...
- Il a les yeux verts, marron, noirs, bleus...
- Il/Elle est sympa. / Il/Elle n'est pas sympa.
- Il/Elle a un beau sourire, des boutons, des lunettes, un collier, un chapeau, une casquette...

Communiquer en classe

- Comment on dit « holidays » en français ?
- Vous comprenez ?
- Vous pouvez répéter, s'il vous plaît ?
- Maxime, répète !
- Qu'est-ce que ça veut dire « souvent » ?

Exprimez ses goûts

- Le maths, c'est super, j'adore !
- J'aime bien les SVT, mais je n'aime pas... la prof.
- La musique ? Quelle horreur ! C'est nul ! Je déteste !

Unité 2

Accepter : ....

Aider : ....

Aller : ....

Allô : ....

Anniversaire (n. m.) : ....

Août : ....

Appeler : ....

Assis(e) : ....

Aujourd'hui : ....

Avec : ....

Avoir : ....

Avril : ....

Beau (belle) : ....

Bise (n. f.) : ....

Bisou (n. m.) : ....

Bouclé(e) : ....

Bouton (n. m.) : ....

Casquette (n. f.) : ....

Chapeau (n. m.) : ....

Cheveux (n. m./plur.) : ....

Cinéma (n. m.) : ....

Collier (n. m.) : ....

Court(e) : ....

D'accord : ....

Danser : ....

Debout : ....

Décembre : ....

Demain : ....

Dent (n. f.) : ....

Désolé(e) : ....

Dommage : ....

Est-ce que : ....

Fête (n. f.) : ....

Février : ....

Invitation (n. f.) : ....

Inviter : ....

Janvier : ....

Juillet : ....

Juin : ....

Jumeaux / jumelles (n. m. plur./f. plur.) : ....

....

Laid(e) : ....

Libre : ....

Long(ue) : ....

Mai : ....

Mais : ....

Mamie (n. f.) : ....

Marron : ....

Mars : ....

Merci : ....

Mignon(ne) : ....

Moche : ....

Novembre : ....

Octobre : ....

Ok : ....

On : ....

Où : ....

Parler : ....

Qu'est-ce que : ....

Quand : ....

Quel(s), quelle(s) : ....

Raide : ....

Refuser : ....

Septembre : ....

Sourire (n. m.) : ....

Téléphoner : ....

Triste : ....

Yeux (n. m./plur.) : ....

Venir : ....

Dire la/une date

- Aujourd'hui, nous sommes le dix-sept janvier.
- L'acteur québécois Marc-André Grondin est né à Montréal le onze mars mille neuf cent quatre-vingt-quatre.

Inviter quelqu'un – Accepter ou refuser une invitation

– Tu viens à ma fête d'anniversaire samedi ? / Samedi, j'organise une fête pour mon anniversaire. Tu veux venir ?
– C'est super, je viens ! / Désolé(e), nous partons en vacances.

– On va au ciné ce soir ?
– Oui, pourquoi pas. C'est quoi le film ? / Non, je ne peux pas, j'ai des devoirs à terminer. / Non, désolé(e), je ne suis pas libre.

 ## Unité 3

Baskets(n. f./plur.) : ....

Beaucoup de : ....

Blanc(che) : ....

Bleu(e) : ....

Blouson (n. m.) : ....

Bonne année : ....

Bracelet (n. m.) : ....

Cadeau (n. m.) : ....

Carré : ....

Chat(te) (n. m./f.) : ....

Chaussure (n. f.) : ....

Chien(ne) (n. m./f.) : ....

Combien : ....

Cousin(e) (n. m./f.) : ....

Disputer (se) : ....

Enfant (n. m./f.) : ....

Été (n. m.) : ....

Famille (n. f.) : ....

Femme (n. f.) : ....

Fille (n. f.) : ....

Fils (n. m.) : ....

Frère (n. m.) : ....

Furieux(se) : ....

Grand-mère (n. f.) : ....

Grand-père (n. m.) : ....

Grands-parents (n. m./plur.) : ....

....

Gris(e) : ....

Guitare (n. f.) : ....

Idée (n. f.) : ....

Jaune : ....

Je veux : ....

Je voudrais : ....

Jean (n. m.) : ....

Joyeux Noël : ....

Jupe (n. f.) : ....

Mari (n. m.) : ....

Marron : ....

Mère (n. f.) : ....

Métal (n. m.) : ....

Noir(e) : ....

Nouvel An (n. m.) : ....

Oncle (n. m.) : ....

Orange : ....

Pantalon (n. m.) : ....

Parents (n. m./plur.) : ....

Père (n. m.) : ....

Père Noël (n. m.) : ....

Peu de : ....

Plastique (n. m.) : ....

Rectangulaire : ....

Robe (n. f.) : ....

Rond(e) : ....

Rose : ....

Rouge : ....

Sœur (n. f.) : ....

Sweat-shirt (n. m.) : ....

T-shirt (n. m.) : ....

Tante (n. f.) : ....

Tissu (n. m.) : ....

Trop de : ....

Vert(e) : ....

Vêtement (n. m.) : ....

Violet(te) : ....

Parler de sa famille

- Mon père s'appelle Lucas et ma mère, Amélie.
- J'ai deux frères et une sœur : Valentin, Thomas et Manon.

Exprimer un projet, une action future ou une intention

Futur proche = aller au présent de l'indicatif + infinitif

- Pour Noël, on va bien manger !
- On va décorer le sapin et je vais avoir beaucoup de cadeaux !
- Mes cousins vont venir à la maison et mes grands-parents vont passer les fêtes aux Antilles !

Poser des questions sur un objet – Décrire un objet

– C'est quoi ? / Qu'est-ce que c'est ?

– C'est mon téléphone. / C'est le t-shirt bleu de Stéphane.

– Son sac est rond et vert. Il est très beau.

Unité 4

Acrobatie (n. f.) : ....

Activité (n. f.) : ....

Arrête de… : ....

Athlétisme (n. m.) : ....

Attraper : ....

Baisser : ....

Balle (n. f.) : ....

Ballon (n. m.) : ....

Basket (n. m.) : ....

Bouche (n. f.) : ....

Bras (n. m.) : ....

Claquettes (n. f./plur.) : ....

Clarinette (n. f.) : ....

Corps (n. m.) : ....

Cou (n. m.) : ....

Coude (n. m.) : ....

Courir : ....

Difficile : ....

Docteur(e) (n. m./f.) : ....

Doigt (n. m.) : ....

Dos (n. m.) : ....

Droit(e) : ....

En arrière : ....

En avant : ....

En bas : ....

En forme : ....

En haut : ....

En l'air : ....

Épaule (n. f.) : ....

Escrime (n. f.) : ....

Facile : ....

Faire : ....

Football (n. m.) : ....

Gauche : ....

Genou (n. m.) : ....

Handball (n. m.) : ....

Il faut : ....

J'ai mal à : ....

Jambe (n. f.) : ....

Je ne me sens pas bien : ....

Judo (n. m.) : ....

Karaté (n. m.) : ....

Lancer : ....

Lever : ....

Loisir (n. m.) : ....

Main (n. f.) : ....

Natation (n. f.) : ....

Patient (n. m.) : ....

Piano (n. m.) : ....

Pied (n. m.) : ....

Plier : ....

Poignet (n. m.) : ....

Poser : ....

Pouce (n. m.) : ....

Prendre : ....

Raquette (n. f.) : ....

Sauter : ....

Sieste (n. f.) : ....

Sous : ....

Sports d'équipe : ....

Sports de combat : ....

Sports nautiques : ....

Sur : ....

Télé (télévision) (n. f.) : ....

Temps libre (n. m.) : ....

Tennis (n. m.) : ....

Tête (n. f.) : ....

Théâtre (n. m.) : ....

Tomber : ....

Ventre (n. m.) : ....

Violon (n. m.) : ....

Voile (n. f.) : ....

Lexique et Communication

Parler de ses loisirs et de ses activités

Faire du / de la / de l' / des + nom de l'activité

- Je fais du basket.
- Tu fais de la natation.
- Il/Elle/On fait des claquettes.
- Nous faisons de l'athlétisme.
- Vous faites du piano.
- Ils/Elles font de la voile.

Comprendre et donner des instructions, des ordres, des conseils

L'impératif

- Levez la main !
- Pliez le bras !
- Ne parlez pas tous en même temps !

Il faut + infinitif

- Il faut dormir !

Exprimer des sentiments, des sensations

J'ai mal à... : J'ai mal au dos, à la tête, etc.

- Je suis fatigué(e).
- Je suis en pleine forme !
- Je suis content(e) / Je suis triste...
- Il est furieux. / Elle est furieuse.

Exprimer la cause

– Pourquoi il a mal au ventre ?
– Parce qu'il mange trop de chips.

– Pourquoi il est gros ?
– Parce qu'il ne fait pas de sport.

Unité 5

À côté (de) : ....

À droite (de) : ....

À gauche (de) : ....

À pied : ....

Appartement (n. m.) : ....

Arrêt de bus (n. m.) : ....

Au-dessous (de) : ....

Au-dessus (de) : ....

Bibliothèque (n. f.) : ....

Boire : ....

Boulangerie (n. f.) : ....

Bus (n. m.) : ....

Centre commercial (n. m.) : ....

Centre sportif (n. m.) : ....

Centre-ville (n. m.) : ....

Chemin (n. m.) : ....

Cinéma (n. m.) : ....

Continuer : ....

Croissant (n. m.) : ....

Dans : ....

Descendre : ....

Deuxième : ....

Différent(e) : ....

Direction (n. f.) : ....

En face (de) : ....

Entre : ....

Étage (n. m.) : ....

Exposé (n. m.) : ....

Film (n. m.) : ....

Immeuble (n. m.) : ....

Indiquer : ....

Itinéraire (n. m.) : ....

Loin : ....

Magasin (n. m.) : ....

Métro (n. m.) : ....

Monter : ....

Moto (n. f.) : ....

Moyen de transport (n. m.) : ....

Musée (n. m.) : ....

Nom (n. m.) : ....

Passer : ....

Pharmacie (n. f.) : ....

Place (n. f.) : ....

Plan (n. m.) : ....

Premier : ....

Près : ....

Quartier (n. m.) : ....

Rapide : ....

Rez-de-chaussée (n. m.) : ....

Roller (n. m.) : ....

Rue (n. f.) : ....

Soda (n. m.) : ....

Tourner : ....

Tout droit : ....

Train (n. m.) : ....

Tramway (n. m.) : ....

Transport (n. m.) : ....

Travail (n. m.) : ....

Traverser : ....

Troisième : ....

Trottinette (n. f.) : ....

Vélo (n. m.) : ....

Ville (n. f.) : ....

Visiter : ....

Vitrine (n. f.) : ....

Voiture (n. f.) : ....

Annexes Lexique et Communication

Indiquer l'existence (la présence) ou l'inexistence (l'absence)

• Dans mon quartier, il y a deux boulangeries et une pharmacie mais il n'y a pas de supermarché.

Situer dans l'espace

– Il y a un gymnase près d'ici ?
– Bien sûr, c'est à côté du cinéma, en face du parc.

– Où se trouve la boulangerie, s'il vous plaît ?
– C'est facile, prenez la première rue à gauche et vous allez la trouver.

– Quelle est l'adresse de Marie ?
– Elle habite au 34, rue des Cèdres, à Nantes.

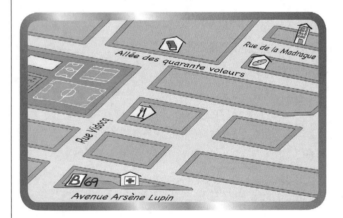

Demander son chemin et donner un itinéraire

– Comment on fait pour aller chez toi ?
– Facile ! Tu prends la première rue à droite, tu passes devant la pharmacie, tu continues tout droit et, à la fin de la rue, tu tournes à gauche.
– Euh, tu peux me faire un plan, s'il te plaît ?

– Excusez-moi, madame, pour aller au musée de la BD, s'il vous plaît ?
– Continuez tout droit puis traversez la grand-place, c'est là.

🎧 Unité 6

Acteur(trice) (n. m./f.) : ....

Après-midi (n. m. ou f.) : ....

Arriver : ....

Artiste (n. m./f.) : ....

Automne (n. m.) : ....

Avocat(e) (n. m./f.) : ....

Botte (n. f.) : ....

Boucher(ère) (n. m./f.) : ....

Boulanger(ère) (n. m./f.) : ....

Capitale (n. f.) : ....

Chauffeur (n. m.): ....

Climat (n. m.) : ....

Coiffeur(se) (n. m./f.) : ....

Créateur(trice) de mode (n. m./f.) : ....

....

Déjeuner : ....

Dentiste (n. m./f.) : ....

Dîner : ....

Dormir : ....

Douche (n. f.) : ....

En avance : ....

Est (n. m.) : ....

Et demie : ....

Et quart : ....

Été (n. m.) : ....

Gare (n. f.) : ....

Hémisphère (n. m.) : ....

Heure (n. f.) : ....

Hiver (n. m.) : ....

Homme (femme) d'affaires : ....

Horloge (n. f.) : ....

Ici : ....

Il fait beau : ....

Il fait chaud : ....

Il fait froid : ....

Il neige : ....

Il pleut : ....

Il y a des nuages : ....

Il y a du soleil : ....

Informaticien(ne) (n. m./f.) : ....

....

Journaliste (n. m./f.) : ....

Lever (se) : ....

Matin (n. m.) : ....

Midi : ....

Minuit : ....

Minute (n. f.) : ....

Moins le quart : ....

Musicien(ne) (n. m./f.) : ....

Nord (n. m.) : ....

Nuage (n. m.) : ....

Nuit (n. f.) : ....

Ouest (n. m.) : ....

Partir : ....

Petit-déjeuner (n. m.) : ....

Pharmacien(ne) (n. m./f.) : ....

Printemps (n. m.) : ....

Pull (n. m.) : ....

Quart d'heure (n. m.) : ....

Radio (n. f.) : ....

Réveil (n. m.) : ....

Seconde (n. f.) : ....

Serveur(se) (n. m./f.) : ....

Soir (n. m.) : ....

Soleil (n. m.) : ....

Sortir : ....

Sud (n. m.) : ....

Vendeur(se) (n. m./f.) : ....

Vent (n. m.) : ....

Lexique et Communication

Annexes

Demander et donner l'heure

– Quelle heure est-il, s'il vous plaît ?
– Il est trois heures.

– Vous pouvez me dire l'heure, s'il vous plaît ?
– Bien sûr, il est 18 h 20.

– Tu as l'heure, s'il te plaît ?
– Il est minuit, l'heure du crime !

Parler des points cardinaux

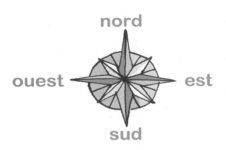

Parler de son emploi du temps

– Qu'est-ce que tu fais aujourd'hui ?
– D'abord, j'ai cours de gym. À 11 h, cours de géo. De midi à 13 h, je déjeune à la cantine. Je recommence les cours à 13 h 30. Je rentre chez moi à 17 h.

Parler du temps qu'il fait (de la météo)

• Il pleut.

   • Il neige.

• Il fait chaud.

   • Il fait froid.

• Il fait beau, il y a du soleil.

   • Il y a des nuages.

Parler des saisons

• C'est le printemps.
• C'est l'été.
• C'est l'automne.
• C'est l'hiver.

Alphabet phonétique

Voyelles et semi-voyelles			Consonnes		
[a]	a	arobase	[p]	p	papa
	à	voilà		pp	appareil
[ɑ]	a	mardi	[t]	t	ton
	â	Pâques		th	rythme
	e	femme		tt	casquette
[e]	é	éléphant	[k]	c devant a, o ou u	carte
	e + consonne finale muette	pied, nez		c devant consonne	croissant
[ɛ]	ai	je vais		cc	accord
	ay	je paye		ch	technique
	è	père		ck	hockey
	ê	fête		k	kit
	ë	Noël		q	cinq
	e + consonne finale prononcée	sel		qu	question
	ei	neige	[b]	b	bien
	et	projet	[d]	d	dans
[i]	i	qui		dd	addition
	î	île	[g]	g devant a, o ou u	gomme
	y	lycée		g devant consonne	gros
[ɔ]	o	or		gh	spaghetti
	um	forum	[f]	f	français
[o]	au, eau	aussi, château		ff	différent
	o	olive		ph	physique
	ô	allô	[s]	ç	garçon
[u]	oo	foot		c devant e, i ou y	cité
	ou, où	vous, où		s	super, danser
	oû	août		sc	adolescent
[y]	eu	eu		ss	dessin
	u	une		ti	situation
	û	brûler		x	trente-six
[ø]	eu	jeu	[ʃ]	ch	chapelle
[œ]	eu + consonne finale prononcée	peur		sch	schéma
	œ	œil		sh	shampooing
	œu	œuf	[v]	v	vous
[ə]	e	je		w	wagon
[ã]	am, an	champion, vacances	[z]	s entre deux voyelles	musique
	em, en	temps, trente		s et x de liaison	les‿enfants, deux‿élèves
[ɛ̃]	aim, ain	faim, pain		x	dixième
	ein	peinture		z	douze, zoo
	en	Bastien	[ʒ]	g devant e, i ou y	girafe
	im, in	timbale, voisin		ge devant a, o ou u	nous rangeons
	ym	symbole		j	je
[œ̃]	um, un	parfum, brun	[l]	l	livre
[ɔ̃]	om, on	nombre, blond		ll	collège
[j]	hi	cahier	[R]	r	règle
	i	idiot		rr	terrible
	il	ail	[m]	m	maths
	ill	fille		mm	homme
	y	crayon		mn	automne
[w]	oi	toi	[n]	n	nous
	oin	soin		nn	mignonne
	ou	oui	[ɲ]	gn	montagne
	oy	moyen	[ɲj]	ni	panier
[ɥ]	u	nuit, duel	[ŋ]	ng	camping

Unité 1 page 17

Activité 1
a. 2.
b. 1.
c. 5.
d. 3.
e. 4.

Activité 2
a. 3.
b. 4.
c. 1.
d. 5.
e. 2.

Activité 3
a. la – une
b. l' – un
c. le – un(e)
d. les – des

Activité 4
a. déteste
b. aiment
c. aimez
d. adorons

Activité 5
a. 3.
b. 4.
c. 2.
d. 1.

Unité 2 page 27

Activité 1
a. 91
b. 49
c. 56
d. 99

Activité 2
a. 99
b. 54
c. 42
d. 36
e. 28
f. 17
g. 100
h. 87

Activité 3
a. as
b. ont

c. avez
d. ai

Activité 4
a. Alexis accepte.
b. Océane accepte.
c. Sarah refuse.

Activité 5
a. Elle ne va pas au cinéma.
b. Il ne vient pas samedi.
c. Elle n'est pas blonde.
d. Je ne suis pas contente.
e. Il n'a pas les cheveux bouclés.
f. Ce ne sont pas des jumeaux.

Activité 6
a. Non, je ne vais pas à la fête.
b. Non, je ne peux pas venir.

Activité 7
a. Elle est blonde.
b. Elle est belle.
c. Elle est rousse.
d. Elle est grande et mignonne.

Unité 3 page 37

Activité 1
a. Chris
b. grand-mère
c. père
d. sœurs

Activité 2
a. va acheter
b. allons partir
c. vas voir

Activité 3
a. Elle va regarder un film à la télévision.
b. Il va aller au cinéma.
c. Ils vont fêter un anniversaire.

Activité 4
a. bleu
b. jaune
c. vert

Activité 5
a. mon / ton / son / notre / votre / leur
b. mon / ton / son / notre / votre / leur
c. ma / ta / sa / notre / votre / leur
d. mes / tes / ses / nos / vos / leurs

Activité 6
a. baskets
b. jean
c. blouson

Unité 4 page 47

Activité 1
fait – est – font – sont – vont – faites

Activité 2
a. Il faut faire du sport !
b. Il faut écouter la musique moins fort !

Activité 3
a. Fais du sport !
b. Écoute la musique moins fort !

Activité 4
Pourquoi – parce qu'

Activité 5
du – au – de la – des – du – de l' – de la – à la

Activité 6
l'œil – l'oreille – le dos – le ventre – la bouche

Unité 5 page 57

Activité 1
a. entre
b. sur
c. dans
d. derrière

Activité 2
a. prends
b. prenez
c. prends
d. prennent

Activité 3
a. Qui
b. Comment
c. Où
d. quand

Activité 4
a. S'il vous plaît
b. S'il te plaît

Activité 5
a. en
b. à
c. en
d. en

Unité 6 page 67

Activité 1
a. Quelle heure il est, s'il vous plaît ?
b. Il est midi et quart.
c. Il est seize heures quarante-cinq.

Activité 2
nord – est – sud – ouest

Activité 3
J'habite en France / Belgique. – J'habite au Portugal / Congo. – J'habite aux Comores.

Activité 4
a. américaine
b. bolivienne
c. suisse

Activité 5
a. avocat
b. coiffeur
c. boulanger

Activité 6
a. neige
b. des nuages
c. beau
d. froid

N° de projet : 10225915 - Dépôt légal : mai 2016
Achevé d'imprimer en Italie par Grafica Veneta - Trebaseleghe en mai 2016